ELE TE TRAIU?
PROBLEMA DELE!

Como superar a **traição** ontem mesmo

Vanessa de Oliveira

ELE TE TRAIU? PROBLEMA DELE!

Como superar a **traição** ontem mesmo

© 2009 - Vanessa de Oliveira
Direitos em língua portuguesa para o Brasil:
Editora Urbana Ltda.
www.matrixeditora.com.br

Capa
Renata Senna

Diagramação
Dayane Queiroz

Revisão
Adriana Parra
Alexandre de Carvalho

Impressão e Acabamento
Bartira Gráfica

Dados Internacionais de Catalogação na Publicação (CIP)
SINDICATO NACIONAL DOS EDITORES DE LIVROS, RJ

Oliveira, Vanessa de
Ele te traiu? Problema dele! : como superar a traição ontem mesmo / Vanessa de Oliveira. - São Paulo : Matrix, 2009.
1. Relação homem-mulher. 2. Traição. I. Título.
09-3421. CDD: 306.7
CDU: 392.6

"Não importa em quantos pedaços seu coração foi partido, o mundo não para para que você o conserte."

Autor desconhecido

Agradecimentos

Preciso agradecer principalmente à minha filha, não só porque ela é a melhor coisa da minha vida. Mas é que deve ter sido uma chatice para ela ficar me dividindo com este livro, no pouco tempo que me sobrava para estarmos juntas, fazendo coisas legais. É, a gente vive junto, minha filha é praticamente a minha "marida", só que na hora da minha folga ela ia ver filme sozinha, ia pra praia sem mim, ia até almoçar no restaurante solitária (é que, como péssima "esposa", eu até hoje não aprendi a cozinhar) e muitas vezes ela me pediu atenção. E na maioria dessas vezes ela ouviu: "Não posso, Princesa, a Mamys tem algumas mulheres para salvar no mundo!". E ela entendeu. Então, MARAVILHOSA, dedico este livro a você!
 Depois, é claro, eu agradeço ao meu editor Paulo, o Grande. Obrigada por acreditar em mim e publicar todo santo livro que eu escrevo! Sabe, né? Eu acredito piamente que ainda seremos *best-seller* mundial! E eu espero que você também acredite...
 Também preciso agradecer à minha família – meu pai, minha mãe e meus irmãos. Obrigada pela vida e por tudo o que fizeram por mim. Não foi fácil ter a mim por perto, coisas inesperadas aconteceram, mas também não foi a pior coisa do mundo, né, gente? Poderia ter sido beeem pior. Eu poderia estar roubando, matando, traficando... Mas, no entanto, estou aqui, tentando salvar a vida de alguém. EU AMO VOCÊS!
 Agradeço à minha grande amiga, Carine Winx, que está comigo desde um momento muito especial da minha vida e que ouviu pacientemente trechos do que eu escrevia, deu suas sábias opiniões e foi a primeira pessoa a ler o manuscrito e a me dizer: "Amiga, ameiii"! Girl, você é muito especial, tipo assim, de outro planeta, sabe? Você entendeu o que eu quis dizer...

Agradeço à minha amiga Toalá, com quem conversei muitas e muitas vezes sobre a vida, o mundo, sobre homens e a relação deles com as mulheres e das "moiéres" com eles. Talvez eu não tenha te dito com todas as letras ainda, amiga, mas nossos momentos de conversas on-line me faziam muito bem (ainda fazem). Girl, eu gosto muito de você, guerreira! Ainda me lembro do primeiro e-mail que você me mandou, dizendo que acabara de ler meu livro, que gostaria de ir à noite de autógrafos e... Não é que foi mesmo?!... Isso virou uma bela amizade... Hehehe.

Agradeço também à mulherada que circula na minha vida: Carla, Cris, Du, Lu, Graci, Fran, Jana, Marisa, Rô, Sandras (as duas), Samantha, Sol... Vocês são purpurina no meu dia a dia. Uma mais louca que a outra, mas todas ricas por dentro e cheias de histórias para contar. Já sabem, né? Este livro também tem um pouquinho de vocês. Eu já falei que não dá para evitar, que é mais forte do que eu: "Não quer ser personagem? Então não seja minha amiga!". Hahaha...

Um superagradecimento a todos os leitores que se prontificaram a participar da pesquisa, que responderam ao questionário em meu blog, que me enviaram seus desabafos, suas dúvidas, e àqueles com quem conversei pessoalmente e que me contaram suas histórias de vida. Eu sei, muitas vezes é difícil reviver algo que doeu, mas reviver é também a comprovação de que existe a superação. Então, a essas pessoas maravilhosas que superaram seus obstáculos pessoais, o *meu MUITO OBRIGADA*!! Este livro sem vocês não teria a mesma cor!!!!

E, é claro, agradeço aos homens, basicamente aqueles que foram meus clientes quando eu era garota de programa, porque eles me ensinaram tuuudo sobre eles. Tudinho (pois é, meninas, me considerem aquela mosquinha que um dia vocês quiseram ser para poder ouvir tudo o que eles faziam, diziam e pensavam de vocês).

Apresentação

Não. Este livro não é nenhuma tentativa desenfreada de vingança nem de aproveitar a oportunidade para dar boas risadas à custa daqueles que um dia nos traíram (embora eu não afirme que isso não tenha me passado pela cabeça).

Essa até que seria uma boa oportunidade, mas deixa para lá, afinal, tenho coisas mais importantes para fazer. Como por exemplo melhorar sua autoestima, fazer você dar a volta por cima e te fazer ver que: ELE TE TRAIU? PROBLEMA DELE!

Mas então você deve estar se perguntando por que escrevi este livro, né? É que cansei de ver mulheres fantásticas destruídas após uma traição e que não conseguiam se recuperar tão facilmente.

Eu tenho mãe, uma filha, irmã, primas, tias, amigas e não quero que isso aconteça a elas. Eu conheço a fórmula secreta para superar rapidinho. E por que não dividir isso com outras mulheres também?

Sabe, mulheres maravilhosas, assim como você e eu, podemos em algum momento de nossas vidas, passar por uma traição. E, acredite, a culpa não é nossa...

É importante você saber

Girl, antes de mais nada, tenho uma importante notícia para te dar: **você não vai morrer!!** Saber disso não é maravilhoso? Porque aposto que você achou (ou ainda acha) que estava morrendo...

Agora, tenho outra importante notícia para te dar, se prepare: **você vai superar!!** E também aposto que passou pela sua cabeça que essa dor seria lancinante e que perduraria por toda a sua vida, certo? Não vai não, tá? Eu juro! Ok, agora que você já sabe que a vida não acabou e que tudo vai ficar bem, vou te contar outras coisas também.

Girl, traição pode acontecer com qualquer pessoa. E embora não seja uma coisa normal, é bastante comum de se ver por aí. O fato é que ser traída é mais regra do que exceção. Inclusive há pesquisas que apontam que a probabilidade é de que 75% das pessoas, em algum momento de suas vidas, irão passar por essa situação. No meu entender esse número é bem maior, mas é que acredito que nem todos ficam sabendo que foram traídos.

A outra coisa que preciso te falar é que se você foi traída (e foi, senão não estaria lendo este livro) a culpa não é sua. Ser ou não traída infelizmente não depende da gente, e receber de alguém fidelidade nada tem a ver com o fato de ser linda, maravilhosa, inteligente e adorável. Ou seja, isso não depende de você. Nada impede que a Gisele Bündchen e a Paris Hilton (putz, essa já foi mesmo), por exemplo, passem por essa situação. Receber fidelidade de alguém depende da pessoa com quem você se relaciona e não da quantidade de beleza que você tem. Ou seja, fidelidade está relacionada diretamente com o caráter do outro e não com o nosso. Acredite, pessoas boas e legais estão neste momento sendo traídas por aí.

Girl, você precisa inicialmente saber que é importante acreditar em mim, porque sei bem do que estou falando. Já fui casada, já fui traída e também fui garota de programa. Então, tenho *know-how* no assunto, não é mesmo? Vivi isso na pele, de ambos os lados, e estou aqui falando para você coisas das quais estou por dentro. E se você não acreditar em mim, vai acreditar em quem?

É verdade, neste momento sou a sua melhor opção para tirar suas dúvidas e fazê-la entender a traição. Porque sou a mulher que você mais conhece envolvida em histórias de megatraição; quando trabalhei como garota de programa atendi mais de cinco mil homens, ouvi muitos desabafos e sei de que forma eles se comportam quando traem, por que traem e como reagem quando são descobertos.

Antes de ser garota de programa eu fui casada e depois de um tempo descobri uma série de traições que vinham acontecendo. E fiquei mal por isso, me separei e soube superar. Portanto, sei como aconselhar e responder às pessoas quando me perguntam por que isso lhes aconteceu e mostro a elas como pensar quando descobrem que foram traídas. Está certo que nem todo mundo gosta de ouvir o que eu tenho para dizer – a verdade dói. E eu aprendi a dizê-la de maneira bem objetiva. Eu fugi da aula de florear opiniões e de dizer meias palavras. Eu prometo que lhe falarei a verdade do que eu sei. Só que você vai ter de prometer que não ficará chateada com minha maneira direta de ser. Ok?

E acredito que você irá gostar de saber as coisas de uma forma bem clara, sincera e imparcial. Você não vai querer saber a verdade através de quem te traiu, não é mesmo? Porque quem traiu você nunca vai assumir responsabilidade nenhuma, nem vai te falar a verdade, porque tem medo. Se não tivesse medo, teria te falado antes de te trair.

E, é claro, preciso antes de tudo te ajudar a entender o que é uma traição, por que ela acontece e tudo aquilo que a cerca, porque o primeiro passo para você superar é entendê-la.

Sabe, mulher é um bicho triste; enquanto a gente não monta o quebra-cabeça inteiro, fica ali martelando sobre o que falta encaixar. Parece que mulher precisa ver as coisas terem respostas com lógica para poder mudar a estação do rádio, senão, nada feito. Essa é uma das razões por que tanta gente passa anos sem superar uma traição. E agora, que irei te mostrar isso bem direitinho, como realmente é por trás daquilo que você experimentou, você não vai ter desculpas para não virar a página rapidinho e ir em busca de coisas que te acrescentem mais. Afinal, o tempo de uma mulher especial como você não pode ser perdido à toa, com assuntos que já deram o que tinham que dar.

Quero que você aproveite este livro e coloque em prática meus conselhos. Não, não sou psicóloga. Sou aquela sua nova e boa amiga com experiência e que vai te ajudar a encontrar a direção certinha. Você ainda tem muitas coisas boas para viver e nada vai te impedir... Porque: ELE TE TRAIU? PROBLEMA DELE!

Observação
Querida leitora, se por acaso você encontrar neste livro aquela história com o seu desabafo que um dia você mandou para o meu site, ou que colocou nas respostas do questionário sobre traição exposto em meu blog e que passei para alguns leitores, não fique chateada, porque ela está servindo para ajudar um monte de mulheres que um dia estiveram na mesma situação que você. É claro, vou preservar você, seu nome verdadeiro será guardado a sete chaves, e em troca vou te dar um codinome bem bonitinho, tá?

Beijos
Van.

ENTENDENDO O "INENTENDÍVEL"
(Aceitando a verdade, para ser mais exata)

Você descobriu a traição, instantaneamente sentiu a adrenalina no corpo, as mãos não eram mais sentidas e houve uma sensação de formigamento em toda a sua espinha dorsal. Daí, a informação que chegou ao seu ouvido (ou que seus olhos viram, o que dói mais) e que foi parar no seu cérebro acabou percorrendo o corpo todo e agora voltou para o cérebro, para dar o grito final dentro da sua cabeça: ELE ME TRAIUUU!

Você começa a ter mil confusões mentais, o cérebro nem raciocina mais e você tenta (mas não consegue) pensar com clareza. Sente desespero, raiva, sente-se frágil, mas ao mesmo tempo com força destrutiva de matar ele, ela, eles, todos os que sabiam, quem estava por perto e até quem te contou sobre a traição, se chegar a se meter a besta de ficar na sua frente para te impedir.

Um sentimento horrível e talvez antes não experimentado, ou quem sabe experimentado várias outras vezes, parece fazer questão de te acompanhar a todo e qualquer lugar que você vá, do banheiro aos seus sonhos. Você se sente impotente para tirar de dentro de si esse sentimento, ao mesmo tempo em que uma chuva torrencial de mil perguntas cai na sua cabeça: é verdade? Quando ele me traiu? Essa foi a primeira vez? Com quem? (Nesse caso você já pode saber a resposta e então irá se perguntar: por que com ela?) Mas a principal pergunta, a que não quer calar e que não irá calar tão cedo é: POR QUE ELE ME TRAIU?

E acredite: essa pergunta você se fará muitas vezes, até descobrir a resposta que te satisfaça sem deixar nenhuma lacuna. É impossível (principalmente para nós mulheres) não vasculhar o cérebro buscando respostas para os motivos que fizeram a traição acontecer no relacionamento. E o cérebro das mulheres é bem chegado a uma complexidade, ou seja, o quebra-cabeça das respostas que as mulheres buscam sempre tem milhares de peças – e essas peças invariavelmente serão analisadas uma por uma. E você, que foi traída, irá reviver tudo nos seus míííínimos detalhes, desde o momento em que vocês se conheceram (na busca de pistas de que ele já planejava trair você) até as situações mais simples, que poderiam ter feito parte da traição em si, como o fato de ele ter ido ao banheiro no restaurante no dia do seu aniversário e ter demorado muito para retornar (podia ser que ele estivesse telefonando para ela).

E o mais inusitado de toda essa história nem é a traição, mas o seu cérebro, que irá pensar tanto e buscar tanto por respostas que sigam determinada lógica na tentativa de descobrir esse tal POR QUE ELE TE TRAIU, que em dado momento as variantes serão tantas que você irá se sentir mais confusa ainda.

É incrível como a mente das mulheres é fértil e consegue encontrar tantas variantes para essa explicação, que vão desde os problemas psicológicos dele na infância e sua possível relação com a mãe (que desencadearia então a justificativa para o relacionamento que ele leva hoje com as mulheres), passam pela possibilidade de você ser a culpada (convenhamos que, nesse caso, você enlouqueceu), e incluem até uma inusitada história de "sabe-se lá" se ele não foi parar numa festa inocentemente (e ainda por cima esqueceu de te avisar), tomou uma bebidinha qualquer e havia boa-noite-cinderela no copo, e então a loira popozuda, que naturalmente é uma avassaladora de casamentos (porque na infância ela se relacionava mal com o pai), abusou do seu "namorido" e a coisa toda deu no que deu.

E se duvida de mim, comprove por você mesma se já não se pegou tentando encontrar as justificativas e explicações mais variadas e loucas para o absurdo de ter sido traída.

E você quer tanto evitar a resposta de que ELE TEM CULPA, na tentativa de proteger a ele, a sua relação e até a si própria, que seu genial cérebro vai trabalhar nesse sentido. E é aí que a neurose começa para valer. Porque, na tentativa de encontrar essas respostas e na desolação do acontecido e do sentimento que está te consumindo todas as forças, você vai acabar telefonando para suas amigas e contando o que aconteceu. Na intenção sabe do quê? De que elas te ajudem a tentar também descobrir respostas que estão gritando na sua cabeça.

Uma mulher traída pensa loucamente. Uma mulher traída tendo uma amiga ajudando pensa mais loucamente ainda. Uma mulher traída tendo várias amigas vira um verdadeiro hospício. Há uma cascata de ideias e de variantes, é um espetáculo único na natureza, e os homens iriam ficar de boca aberta se acompanhassem de perto a história da traição deles vista pelo ângulo feminino. Eles não iriam acreditar no que a mente de uma mulher desesperada pode criar, quando na verdade até eles sabem a resposta exata e bem simples para isso.

Girl, acorda, ELE TE TRAIU PORQUE É UM BABACA. Ponto final.

Isso é o que você precisa ter em mente. **Ele é um babaca.** É só nessa conclusão que você precisa chegar e se apoiar; todo o resto que você esmiuçou, investigou e descobriu é totalmente descartável. Então, agora apague tudo aquilo que o teu cérebro e o das tuas amigas foi capaz de criar, porque nada disso importa mais, além do fato comprovado de que ele é um babaca, e comece a raciocinar direito.

Olha, não existe nenhum motivo sobre a face da terra – nenhunzinho, tá? – que dê a ele o direito de te trair. NENHUM!!!

Não existe justificativa e muito menos explicação plausível para ele ter sido desonesto com você.

Não fique aí tentando achar que se ele fez isso foi porque ele foi iludido, porque a culpa é só dele se ele se iludiu, e SÓ DELE, eu disse! E cá entre nós, mesmo uma pessoa iludida sabe muito bem o que é certo e o que é errado fazer.

Nem pense que a culpa é da mulher com quem ele te traiu, que essa é a que menos culpa no cartório tem, afinal, ela não tinha nenhum contrato verbal, religioso ou civil com você, certo? Logo, ela não te devia absolutamente nenhuma satisfação.

Não fique achando que ele foi influenciado pelo fato de ter algum problema psicológico de infância, porque se assim fosse você também sairia por aí a torto e a direito traindo, não é mesmo, girl? (Afinal, quem não tem superações psicológicas para fazer)? Isso não dá a ninguém o direito de ser cruel, desonesto, desrespeitoso e babaca.

E, pelo amor de Deus, não crie fantasias como pílulas azuis ou vermelhas sendo engolidas acidentalmente que criam uma realidade virtual a ponto de ele não ter consciência do que estava fazendo!

Nenhum homem ou mulher trai inconscientemente!

Encare a realidade dos fatos; por mais que te doa neste momento, amiga, ele te traiu e não existe justificativa, porque **nunca há justificativa para a traição**. E agora, repetindo, bote uma coisa na sua cabeça: a explicação para isso ter acontecido é só e somente uma: ELE É UM BABACA!

Portanto, hora de diminuir a velocidade do cérebro e parar de reunir o Clube da Luluzinha para esse assunto, porque você acabou de descobrir a simples verdade e não vai mais, a partir deste momento, gastar seu precioso tempo (nem o das suas amigas) tentando encontrar justificativas infundadas, pois a resposta é uma só: ELE É UM BABACA, repita comigo, ELE É UM BABACA, repita novamente: ELE É UM BABACA...

E sabe o que é mais triste, amiga? É que eles sabem que a sua mente irá trabalhar no sentido de salvá-los. E sabe por que sei disso? Porque eles me contaram. Ouvi inúmeras histórias de traições da boca deles, sobre como foram perdoados e o que aconteceu para que voltassem com seus antigos relacionamentos numa boa. Note bem, depois do perdão a traição continuou para esses que foram perdoados, tanto é que eu estava ali para ouvir a história deles.

E por saberem como sua mente funciona, por saberem que você é mole porque é uma mulher boa de coração e por saberem que praticamente toda mulher está ligada à maternidade, eles usam estratégias perfeitas: fazem papel de vítimas, de bebês arrependidos, contam histórias tristes sobre sua vida (incluindo umas que você nunca imaginou que existissem) e atuam justamente onde vão ter sucesso: no amolecimento do seu coração.

E a sua mente está tão desesperada e seu corpo pede pelo amor de Deus para acabar com aquele sofrimento e aquela sensação desesperadora de rejeição, decepção e humilhação, que você aceita qualquer coisa como explicação e justificativa que tire dele a culpa e, portanto, o fardo de você ter de se separar dele e encarar que ele não presta e não é homem para você, a fim de não terminar com seu sonho, seu projeto ou sua aparente felicidade de união estável ou seja lá o que for – você, naquele momento, quer tanto as coisas como eram anteriormente que não importa se tudo antes era ilha da fantasia, mesmo com você vivendo no castelo e ele no harém.

Girl, eu sei que doeu eu te dizer essas coisas aqui de maneira fria e direta. Eu sei que seu coração está machucado e tudo o que a gente quer nessa hora é ouvir algo que nos conforte e não ouvir mais verdades doloridas. Mas acredite, é necessário eu ter essa conversa com você, bem do jeitinho que estou tendo, porque assim eu evito que você mergulhe em outra dimensão que não seja essa aqui que vivemos: a terceira, a da nossa realidade.

Dói agora, mas faz parte do processo de se recuperar você saber das coisas como elas são, e faz parte do meu papel de sua amiga te mostrar quais são os caminhos que você não deve tomar de jeito nenhum – e o da ilusão e das justificativas infundadas são os principais de que preciso desviar você, certo?

Então me desculpe se fui dura, mas prefiro ser honesta com você e, acredite, seque essas lágrimas porque tudo irá ser diferente e melhor do que agora. Diga-me uma coisa: não é ótimo, no fundo, saber que de verdade ele é um babaca? E que: ELE TE TRAIU? PROBLEMA DELE!

ENTENDENDO O QUE É TRAIÇÃO

Vou deixar bem claro para você o conceito. **Traição é a quebra da confiança.** Ponto final. E traição não tem fator amenizador. O fato de vocês terem começado o relacionamento há pouco tempo ou de morarem em cidades diferentes não justifica a quebra da confiança. Ninguém terá sido apenas "meio desonesto" só porque na hora de executar a traição escolheu aquela ex que reapareceu depois de uma década expondo os camuflados sentimentos ou porque foi cantado por uma mulher extremamente excitante que deu a noite toda em cima dele. O mesmo vale se ele te traiu com outro homem ou se estava de porre.

Veja bem, ninguém pode ser acusado por determinados sentimentos. Ninguém realmente escolhe amar, desamar, excitar-se, ficar triste ou alegre. Sentimentos são sentimentos, eles estão no plano subjetivo e não no plano prático (objetivo) da vida. Isso tudo são coisas que afloram dentro de qualquer um de nós de maneira involuntária, logo, não somos culpados nem inocentes por nossos sentimentos. Mas somos responsáveis pelo que executamos a partir do que sentimos. É você que escolhe trair ou não trair, e não seu sentimento, que executa coisas sem seu consentimento consciente.

Sim, sim, você deve estar aí se sacudindo para me lembrar daquelas pessoas hiperimpulsivas, certo? Mas veja bem, elas devem aprender a lidar com sua impulsividade e jamais devem receber isenção de qualquer coisa pelo fato de ter essa característica. Vou escolher um exemplo real para fazermos uma analogia bem simples: uma pessoa excluída socialmente pode gerar sentimentos de revolta dentro de si contra pessoas favorecidas socialmente, certo? Isso é passível de acontecer e acontece mesmo. Só que existe uma grande diferença entre ter esse sentimento e fazer alguma coisa contra alguém impulsionado por esse sentimento. E executar qualquer coisa nesse sentido não tem justificativa nenhuma, nunca!

Que fique claro para você: traição é traição. Não importa quando, onde, com quem, quantas vezes nem por quê. Nada disso serve como argumento em um tribunal do coração.

E não caia na besteira de acreditar que a traição foi algo que simplesmente aconteceu. Porque nunca é algo que "simplesmente aconteceu". Uma traição não é um acidente. Uma traição sempre é planejada, mesmo que tenha sido nos cinco minutos antes de os dois começarem a tirar a roupa. Tenha certeza de que em algum instante passou, sim, pela cabeça dele a possibilidade de que a descoberta terminaria com o relacionamento de vocês dois. E o que ele fez com essa possibilidade? Tornou-a em algo muito menor do que a satisfação dele naquele momento. E o que esperar de um cara que põe um relacionamento com você em plano bem inferior? A verdade aqui é que você esteve abaixo da satisfação do pinto dele...

E os homens inventam coisas estapafúrdias para justificar os motivos que os levaram a trair. Veja bem, **nunca há motivos**! Se ele te traiu e disse que fez isso porque estava em uma fase difícil da vida, com problemas pessoais e profissionais, saiba que é a mais pura balela, porque quando estamos em um momento difícil tudo o que queremos é estar com as pessoas de que gostamos para nos sentirmos melhor. Pessoas mentalmente saudáveis irão querer estar com quem amam. E traição até hoje não resolveu nenhum problema financeiro, nem problema profissional, e muito menos sanou problemas de compatibilidade entre casais. E ele não é nem um pouquinho burro para não saber disso. Muito pelo contrário, ele tentou dar uma de esperto para cima de você. E se você acreditou, saiba que foi pelo desespero de não querer ver que ele não é homem para estar com você. E entenda que, se você pode muito bem não o trair porque o ama, saiba que ele, da mesma forma, também poderá não trair você se de verdade a ama. Homens e mulheres têm características psicológicas, físicas e até mesmo espirituais diferentes, com certeza. Porém, não veja os homens como indivíduos primatas submetidos aos instintos de milhões de anos atrás, porque que eu saiba há muito tempo eles já não andam mais apoiados nos quatro membros, tampouco preferem morar nas cavernas. Tudo isso evoluiu neles, e muito bem; só não "evolui" aquilo em que eles não têm interesse. "Instinto" não é desculpa para traição, e sabe por quê? Porque somos uma espécie capaz de domar os próprios instintos. Se ele não faz força nenhuma para domar os seus impulsos, então é porque na verdade ele não quer isso, e portanto não serve para você. Você não acha estranho que o instinto de matar e comer um boi quando ele tem fome não se manifeste nunca nele? Você consegue imaginá-lo no meio da rua com uma lança mirando um animal? Pois então, o instinto de alimentação é muito mais forte do que o sexo, e que eu saiba ele evoluiu a ponto de esperar a hora da refeição sem atacar o bicho da vizinha. E ele o faz porque assim o quer.

Sabe por que eles traem?

Não é um fator genético. É só cultural. A imensa maioria dos homens cresceu sob a ideia e acreditando que um homem, para ser bem-aceito na sociedade, deve ter muitas mulheres, saber conquistar várias e ter variação sexual farta. Então, desde pequenininhos, são incentivados a fazer isso. Aí, quando crescem acabam repetindo a conduta, porque se acostumaram a ser dessa forma, e um hábito de muitos anos é algo difícil de quebrar. Mas hábito é diferente de instinto primitivo, ok?

Então, sem essa conversa mole de se conformar que os homens traem porque está no sangue deles, porque isso realmente não tem lógica.

Caindo na real

Um cara só irá trair você se ele quiser. Não há nada nem ninguém que o obrigue a fazê-lo. Lembre-se, mulheres não conseguem estuprar homens.

Um homem que diz a você que te traiu e que não sabe a explicação para isso é um asno. E quem quer estar com um asno?

Um cara que diz que te traiu porque quando era pequeno tinha problemas psicológicos está tentando se fazer de vítima.

Um homem que te traiu, que pede perdão alegando que foi a primeira vez acha que tem direito a *habeas corpus*.

Um cara que te traiu com a sua amiga é um cara nojento. Se ele te traiu com a esposa do amigo dele, então ele é um nojento da pior espécie.

Um homem que te trai com garotas de programa é um safado igual a qualquer outro safado.

Um homem que te traiu porque se sente inferiorizado diz isso porque já usou todas as justificativas e nenhuma deu certo.

Um cara que diz que te traiu e que a culpa é sua tem sérios problemas mentais.

Um homem que te diz que te traiu em um momento de fraqueza está querendo te dizer que te traiu porque estava com baixa glicose no cérebro naquele dia. Seria isso?

Um homem que te traiu e diz que você não o merece está falando a mais absoluta verdade! Agora, se ele disser que te traiu PORQUE você não o merece, então esse cara não passa de um covarde que não tem coragem de dizer na sua cara que não está mais a fim de continuar o relacionamento e prefere jogar para você a responsabilidade de terminar tudo.

Um cara que te traiu e que diz que fez isso porque ainda não tem certeza sobre o relacionamento de vocês é um cara que não está nem um pouco a fim de passar o resto da vida dele com você, porém não sabe como te dizer isso.

Recapitulando: não há justificativa plausível para a traição.
Todos os argumentos dele não passam de desculpas esfarrapadas.

Sabe, já conheci caras que traíram pelos motivos mais esdrúxulos possíveis; a base é sempre a mesma – o fato de o cara ser um babaca. Embora os babacas sejam assim por motivos distintos, como, por exemplo, caras traírem mulheres maravilhosas justamente porque elas eram maravilhosas demais perto do que eles eram, uma espécie de vingança inconsciente. E acredite, isso existe: homens que não são bem resolvidos e que não sabem lidar com mulheres especiais.

Sabe aquela velha história de que não devemos dar pérolas aos porcos porque eles realmente não sabem o que fazer com elas?

ACREDITANDO EM PAPAI NOEL

Tem uma coisa horrível que já vi acontecer muitas vezes. O cara trai, a garota descobre. Ela se separa dele. Ele liga três vezes e ela não atende, então ele passa a ligar o tempo todo, mil vezes, para sua casa e seu celular, e aí se rasga atrás dela, se mostra arrependido, diz que jamais vai fazer novamente, que essa foi a primeira vez, que ela é a mulher da vida dele, que a outra não teve nenhuma importância e que foi só sexo (grande coisa ser só sexo, né, girl?), que ele foi um idiota (isso nem precisava deixar claro), que teve problemas na infância, que vai tentar o suicídio (antes fosse verdade), que anda bebendo demais e largado nas ruas, que a culpa é sua (claaaro), e aí você vai lá, amolece o seu coração (feito uma gelatina), porque afinal não se deixa um indigente na rua e não é todo dia que se arranja alguém fazendo declarações e juras de amor para a gente, e ele já se humilhou tanto publicamente que está quite com a humilhação que lhe causou. E aí ela volta (você, né?) com ele. Perdoa-o e então, mais cedo ou mais tarde (geralmente não demora muito), ele acaba fazendo a mesma coisa. Apenas com um diferencialzinho: dessa vez fará com muito mais cautela.

Todos aqueles que entrevistei para este livro, **sem nenhuma exceção**, confirmaram que voltaram a trair mesmo depois de terem sido perdoados. E a justificativa mais usada por eles foi a de que acreditavam que poderiam ser perdoados novamente.

O que eu posso te falar para você não acreditar em Papai Noel? Acorde, as coisas não vão mudar. Se ele tem o gene da falta de caráter e se culturalmente ele adquiriu esse hábito, nada irá detê-lo. Nada! E ele voltará a te trair, sim. Pode ser que você nunca descubra e ache para o resto da sua vida que foi uma vezinha e só (afinal, ele se ligou, e muito bem, de que você no quesito "descoberta de traição" não é cega, embora não tenha visto), mas essa não será a única vez mesmo.

Olha, dizem que Papai Noel existe para aqueles que acreditam que ele existe. Então tá, girl, creia na sua fabulosa e inocente mente que homens se tornam honestos depois que traem (ele agora virou o seu bom mocinho) e dê novamente credibilidade a ele para você comprovar o que acontece. Mas depois não venha me dizer que não te avisei e nem me apareça com aquele e-mail perguntando "E agora, Van, o que faço?".

Se eu não acredito em milagres de Natal? Olha, girl, para ser bem sincera eu acredito, sim. Eu de verdade penso que milagres acontecem, sendo eles de Natal, Páscoa ou no meio da semana. Eu sinceramente acho que uma pessoa pode mudar da água para o vinho em certas situações e penso que ninguém está perdido para sempre. Sim, eu acredito no desenvolvimento do ser humano. Só que transformação de caráter acontece com uma raridade tão grande que eu chamo de milagre.

> **Você sabia que:**
> Quem trai passa a se sentir menos culpado a cada traição? Verdade. É que a pessoa vai se acostumando e aquela pontinha de remorso vai aos poucos se extinguindo. E há ainda os que conseguem ser hipócritas consigo mesmos, firmando-se na ideia de que "Eu não gosto disso, mas também não deixo de fazer".

E também penso que a sua vida e suas expectativas não podem ser baseadas em possibilidades remotas, mas sim em possibilidades reais. Ficar novamente com um cara que te traiu porque você tem a esperança de que ele irá mudar é o mesmo que não trabalhar mais e viver de jogar na Mega-Sena porque acha que uma hora vai ganhar. E pode ganhar mesmo, só que as suas possibilidades de construir seus sonhos, baseadas na sorte de acertar na loteria, são infimamente menores do que se você for lá e botar a cara no trabalho, de uma maneira real, atrás de seus sonhos. O que eu estou dizendo, girl, é para você não se deixar levar pela esperança de que ele irá mudar (porque seu coraçãozinho está doendo e querendo se agarrar à primeira pílula de esperança que aparecer), porque isso é improvável que aconteça.

A regra é: caras que traem não viram caras fiéis. A exceção é: caras que traem podem um dia vir a ser fiéis se milagres acontecerem.

Mas, girl, você quer se basear na regra ou na exceção? Porque se você se basear na regra, terá uma chance imensa de viver um relacionamento saudável da forma como você merece (encontrando outra pessoa, tá?). Se você se basear na exceção, irá passar, provavelmente, o resto da sua vida apostando que um dia as coisas irão mudar. Nesse caso, me comunique – eu vou acender uma velinha para ver se te ajudo a conseguir a bênção.

E o mais doído de tudo: quando os caras que traem se tornam fiéis, sempre é com outra mulher. Nunca com aquela com quem eles estavam.

Sabe, eu não quero que você vire um poço de radicalismo, frieza e matemática. Nem que não tenha mais sonhos na sua vida. Eu apenas acho que você pode não se deixar levar por ilusões e que seus sonhos podem, sim, se concretizar (eles têm um codinome chamado projeto de vida); só basta para isso você dosar desejo e realidade.

Amiga, Papai Noel existe no mundo que você criou, para deixá-lo mais colorido. Homens que traíram e viraram bonzinhos não podem fazer parte da sua vida real de jeito nenhum, porque senão vira pesadelo. Não existe estratégia nenhuma para tornar um homem infiel em fiel – ou ele já é ou não é! Reflita sobre isso.

Isto é incrível:
90% dos homens cujas esposas os deixaram porque foram traídas passaram a correr desesperadamente atrás delas tentando reatar e dizendo que agora eram homens renovados.

Importante:
O profundo arrependimento, as lágrimas, o emagrecimento, as súplicas e as promessas dele de agora virar um bom mocinho não valem como desculpas. Ele pode realmente estar profundamente arrependido e estar sendo sincero quando chora. Mas isso não é parâmetro de mudança de caráter e não limpa a barra dele com você. Então, não amoleça!

Isto é triste:
Setenta por cento dos casais que vivenciam a traição voltam novamente a se relacionar e 100% dizem que nunca mais o relacionamento foi o mesmo. Ou seja, já era.

•••••••••••••••••••••••••••••••
Help Vanessa: apenas uma perguntinha!

Vanzinha, você poderia me dar uma luz? Eu comecei a namorar desde muito cedo com meu atual noivo. Na época eu tinha 16 anos e ele 22. Já se passaram oito anos e estamos noivos. Eu o amo muito e estamos de casamento marcado para daqui a três meses. Fiquei sabendo que ele me traiu. Eu o perdoei, porque levei em consideração que essa foi a primeira vez que aconteceu e que um relacionamento de tanto tempo e às vésperas de casar não pode ser desfeito assim da noite para o dia. Eu seria muito inconsequente se terminasse tudo, porque já temos casa montada, nossos familiares se dão muito bem e todos aprovam nossa união, gastamos muito com os preparativos para casar. Só que agora estou confusa e por isso pedindo teu conselho.

Maria Pé no Altar

Eu achei interessante aí a parte que você falou dos parentes. Será que você poderia perguntar para eles se também aprovam a pulada de cerca do teu noivo? Talvez até sim, porque não são eles que vão casar com ele; a propósito, girl, preciso te lembrar de que é com você que ele irá subir ao altar. Logo, a única pessoa que precisa aprovar esse relacionamento é você. Lembre-se, você pretende passar alguns bons anos a mais com ele, não é mesmo? Então, a aprovação da parentada não pode de jeito nenhum pesar na balança no momento em que você for decidir.

Outra, foi a primeira vez que aconteceu ou foi a primeira vez que você soube? Se você o perdoar, com certeza haverá outras vezes, tá? E você quer começar essa união já montada num par de chifres?

E pelo que eu percebi, você está preocupada com os gastos dos preparativos que não podem ser desperdiçados, né? Amigaaa, separar depois que casou oficialmente é mais caro ainda.

Outra de novo, você diz que não vai se separar dele porque o ama, correto? E a minha pergunta aqui é: e você se ama? E a minha outra pergunta aqui é: um cara que ama uma mulher a trai às vésperas do casamento? E olha que nem era despedida de solteiro (imagine o que ele vai fazer no dia anterior a subir no altar, então; no mínimo uma orgia). Daí provavelmente você aceitará uma traiçãozinha na despedida de solteiro, né? Afinal, ele é homem e é uma despedida de solteiro. Assim como o perdoou agora, às vésperas, baseada na justificativa de que foi a primeira vez. E antes do casamento. E adivinha como que depois do casamento você vai justificar a atitude dele após uma traição? "Perdoado, afinal, foi a primeira vez pós-casamento." Eu aposto!

Girl, tem mais uma coisa que está apitando aqui no meu cérebro. Você começou o relacionamento com ele quando tinha apenas 16 anos, ou seja, você provavelmente não se relacionou afetivamente com mais ninguém. Tem certeza de que está preparada para se casar? Não, eu não acho que as mulheres devem sair por aí tendo infinitas experiências sexuais e amorosas para só então poderem encontrar e casar com a pessoa com quem elas amam. Só que eu penso que você deveria ter algumas experiências antes para lhe servirem de parâmetro e só então decidir se é com ele que você quer casar e se quer casar já. Sabe, nesse quesito eu concordo com Buda: o melhor caminho é sempre o caminho do meio.

The end não é vai e vem...

Não, não caia na GRANDESSÍSSIMA BESTEIRA (viu como escrevi em maiúsculas? Não foi à toa) de achar que o relacionamento tem recomeço, que vão superar juntos e que tudo será salvo, porque NÃO VAI. E tape seus ouvidos quando alguém vier com aquela velha história de que "um casamento pode ficar mais fortalecido depois de uma traição" que isso é coisa de gente que fica repetindo abobrinhas que ouviu por aí.

Girl, seu casamento, seu namoro, seu noivado, ou seja lá do que você chama a sua relação, não vai ficar melhor depois de você levar um chifre. Aliás, você se sente melhor agora? O que acontece é que para não se separarem os dois dão um gás danado na relação, dão tudo de si no primeiro momento, e acredito, sim, que possa parecer que voltaram aos velhos e bons tempos, de quando tudo começou e era lindo, esplêndido e maravilhoso. Agora acorda, girl, porque a confiança foi quebrada e mais dia, menos dia você vai começar a desconfiar dele, a achar que ele está com ela de novo, a achar que agora ele tem outra, a achar que ele está com várias ao mesmo tempo e patati-patatá. Não demora você começa a pensar que o fato de ele ter ido à padaria é uma desculpa para ir à esquina ligar para ela, que se foi jogar com os amigos ele na verdade foi parar no motel com outra mulher, e assim por diante. Traição é uma coisa tão forte e quebra a relação em mil e um caquinhos tão pequenos que é impossível remontá-la como antes. E se você conseguir essa proeza, a coisa será capenga, bem capenga.

Tem gente junta até hoje que "superou" traição. Veja bem, "superou". Mas não é mais a mesma coisa. NUNCA MAIS será a mesma coisa, pra ser bem incisiva. Perceba, traição não é o mesmo que discussão, nem o mesmo que esquecer a data do primeiro beijo, tampouco traição é ronco ao dormir. Essas coisas que acabei de falar são superáveis (ronco eu ainda posso rever), fazem parte de relacionamentos saudáveis, porque ninguém vai fazer e ser 100% do que o outro quer o tempo todo. Mas olhe aqui, traição é GRAVE.

Traição não tem que ter perdão.

A questão é que dói mesmo ser traída. Eu sei, já fui, e quando estamos sentimentalmente feridos, tentamos inúmeras maneiras para cessar a dor e uma delas é, inevitavelmente, tentar negar o fato de que a traição é uma realidade na vida de quem é traído.

Não vi uma nem duas vezes isso acontecer; presenciei muitas de minhas amigas e leitoras entrarem em um labirinto tentando encontrar portas que as fizessem acreditar que aquilo teria a possibilidade de não ter acontecido. A gente pensa: e se eles estavam apenas conversando no motel e nada rolou? E se aquele bilhetinho não era para ele e sim para o amigo e foi parar ali, no bolso da calça dele, por engano? E se alguém quer nos separar e está inventando tudo isso? E se ele mandou mensagem de "Vamos nos encontrar hoje às 18h, te amo" e era para mim, só que foi parar justo no celular daquela loira que trabalha com ele por erro da operadora?

Sabe, quando o coração está doendo a gente não pensa muito bem, a gente não age como deveria, a gente fica anormal. Uma pessoa em estado normal consegue ver as coisas sob a óptica da realidade com mais facilidade e encontra inclusive saídas mais racionais. Uma pessoa que está sofrendo só quer uma coisa: PARAR DE SOFRER, e a essa altura do campeonato qualquer coisa vale, inclusive se iludir com justificativas e com possibilidades remotas. Infelizmente, por mais inteligente que uma mulher seja, em nome da esperança é possível, sim, que ela tape o sol com a peneira. A esperança deixa algumas mulheres espetaculares caolhas e às vezes cegas.

Se a traição pode ter sido um engano e de verdade não ter acontecido? Claro, boatos existem, gente tentando atrapalhar relacionamentos fabulosos também. Mas se você viu, se pegou a mensagem clara no celular, se escutou a conversa dele com ela ou se recebeu uma foto dos dois entrando juntos de mãos dadas no motel, então, **pelo amor de Deus, não fuja da realidade!!** E não tente negar isso apenas para evitar o sofrimento. Porque o melhor remédio nesse momento é olhar as coisas como elas realmente são, se conscientizar de que a traição infelizmente (ou felizmente) é uma verdade em sua vida e de que esse babaca não é para você. Agora é tratar de se recuperar e seguir em frente, e sem ele. Porque: ELE TE TRAIU? PROBLEMA DELE!

Ahhh, e por favor, não caia na armadilha de ficar pensando que se ele te traiu deve haver uma explicação, talvez baseada no fato de que você deixou de fazer algo, ou fez algo que não deveria, ou disse algo que pode tê-lo magoado, ou então deixou de dizer algo que pode tê-lo magoado mais ainda, ou então não foi como deveria ter sido, ou então, ou então... Pare, pare, pare! Ele te traiu porque quis e isso não tem nada a ver com você. Você pode inclusive ser uma mulher estúpida, uma mulher fútil, uma mulher imbecil, egoísta, malvada (tudo isso sabemos que você não é, tá?), ou seja, mesmo que você merecesse, mesmo assim, ele não teria o direito de te trair. Não há justificativas para traição. Absolutamente nenhuma.

> *Confissão de um traidor*
>
> É sempre assim... Você conhece um novo alguém e o que começa a fazer é conversar com a pessoa. Sabe, todo mundo precisa disso: fazer amizades, conhecer novas pessoas, discorrer sobre suas vidas, suas experiências, dar e receber conselhos e também escutar as outras pessoas. Isso faz parte da vida. E eu acho que nasci com certo dom, que é o de fazer com que as pessoas se sintam à vontade para se abrirem comigo. E com isso muitas mulheres vêm até mim para conversar, principalmente para saber o que eu penso de determinada situação. E é sempre aí que a história começa. Uma conversa inofensiva que se inicia em uma mesa e quase sempre termina na cama.
> Sabe o que acontece comigo? Eu acabo sempre traindo minha esposa com minhas amigas ou com amigas delas que vêm desabafar comigo. Na verdade eu não premedito nada, "Agora vou pegar a fulana", simplesmente a situação surge e então não perco a oportunidade. É bem isso que acontece. Eu não estou procurando alguém para amar, eu já tenho uma esposa. Minha mulher é legal e é bonita. E nem quero me separar, só que eu sou encantado pelas mulheres, eu acho elas todas lindas, cada uma tem uma coisa que me agrada e que a outra não tem. Nenhuma foi mais especial do que a outra e eu não preciso estar apaixonado por ela para trair. Todas ocuparam meu coração e ao mesmo tempo nenhuma, você me entende?
> Vou contar uma coisa: eu não traio porque sou o bonzão e garanhão da história, traio porque sou o fraco. Traição é uma fraqueza. Poderoso é o homem que não trai.
> Já fui forte, fiel e por muito tempo casado. Só que eu resistia a muito custo aos encantos de todas as mulheres que por muitas vezes chegavam perto de mim. Um dia não resisti e traí pela primeira vez, e depois dessa vieram outras centenas de vezes.
> A traição tem sido algo tão comum em minha vida que nem mesmo considero um problema. Sinceramente, raras foram as vezes em que me arrependi.

A coisa mais preciosa que você pode fazer nesse momento é encarar a realidade e se preparar para se erguer GUERREIRA – ver as coisas com lucidez é justamente o tesouro precioso. Não é maravilhoso neste instante estar tendo um lampejo de iluminação sobre os fatos? Não é algo sensacional poder ver que se as coisas chegaram a esse ponto é porque elas não eram satisfatórias e que isso dá a você a opção de decidir aquilo que é melhor para si, e ainda optar por ser feliz, mesmo sem ele e obviamente com outro? E tenho certeza de que você fará essa opção!

Estar livre das amarraduras do irreal lhe confere o caráter de VITORIOSA. Mesmo com o coraçãozinho picado, veja-se como uma VITORIOSA, porque você se livrou daquilo que não lhe servia mais, da ilusão de achar que seu relacionamento era uma coisa que não era.

E se acabou é porque terminou!!

Não gaste a sua energia tentando salvar um barco furado, vá à luta e arranje um novo!!!

As mulheres são poderosas, a questão é que poucas sabem disso

No fundo, todas as mulheres entrevistadas traídas sabiam que eles eram o que eram, mas tirar a peneira da frente do sol é algo difícil para a maioria das pessoas, porque isso as faz erroneamente pensar que fracassaram. Infelizmente, a presença da traição em uma relação ou o fim de um relacionamento é, para muitos, a demonstração de que se falhou. E é uma pena que não percebam que ter consciência de ter passado por um relacionamento não satisfatório é totalmente diferente de ter fracassado na vida. Por falar nisso, o que é fracassar na vida para você?

Comprometa-se agora mesmo:

– Não existe nenhuma justificativa para traição. Por isso não vou buscar variantes loucas.

– Não darei a ele a chance de me pisar novamente.

– Não vou acreditar em milagres de traidores virando bons mocinhos em meus relacionamentos porque isso não é legal.

– Vou acreditar em Papai Noel porque isso é legal.

– Ele me traiu? Problema dele...

Para mim, fracassar na vida é não ter coragem de ir em busca de seus objetivos. Assim mesmo, bem simples. Esse é o meu conceito de fracasso. Inclusive, a meu ver, isso compreende toda a essência do fracasso. Até mesmo quem tentou e não conseguiu eu acredito que não fracassou. Porque a dinâmica da vida sempre leva a algum aprendizado. Já a maneira estática de ser é que nos conduz ao fracasso. Ficar parado frente ao que queremos da vida é o exemplo perfeito de inércia. Os dias transcorrem, mas é como se eles não surtissem efeito naquilo que em essência somos. Mesmo quem tenta e não consegue torna-se alguém que cresceu.

E outra ainda: infelizmente as pessoas também não percebem que se as coisas não deram certo antes da traição, não será depois dela que darão. E então insistem na situação de tentar e tentar e tentar...

Na verdade, aceitar isso – QUE TERMINOU – é algo libertador. Porque estar consciente da realidade deixa-nos livres para navegar em outros mares e não nos faz mais perder tempo na vida, nos dando, assim, chance de encontrar outra pessoa.

Saber da realidade lhe confere poder. Saber de todas essas coisas lhe confere a oportunidade de ter controle sobre a situação e faz com que você se sinta poderosa no que diz respeito ao seu destino. É você agora quem traça as linhas da sua vida.

E no quesito volta por cima, as mulheres são campeãs em comparação com os homens; elas caem com mais facilidade, mas se levantam muito mais rápido. Quando os homens caem, eles demoram muito a saber lidar com a situação.

É, meninas, o poder da reviravolta é nosso!!! E, quando digo que as mulheres são poderosas mas não sabem usar seu poder, estou falando exatamente da sua força interior desconhecida. Eu conheci muitas, muitas, mas muitas mulheres poderosas. E poucos foram os homens dos quais eu pude dizer o mesmo. Com o virar das páginas deste livro você vai entender exatamente do que estou falando.

> **Você sabia que:**
> A maioria dos homens confessou que depois dos 40 anos descobriu que era infeliz no amor e atribuiu isso ao fato de terem escolhido suas parceiras não por amor, mas por uma questão de racionalidade? Entre os motivos, o fato de se sentirem seguros por não serem traídos por elas.

Importante:
Se ele nunca gostou de você o suficiente, bola pra frente, ele não vale o seu tempo.

Isto é incrível:
Todos os homens entrevistados acham fundamental na vida encontrar alguém para amar.

Isto é triste:
Nem todos que querem encontrar alguém para amar sabem o que é amar.

Help Vanessa: a culpa é de quem?

Van, meu namorado e eu tivemos muitos meses bons juntos, mas nossa convivência tem piorado cada vez mais; brigamos por coisas bobas, não temos mais aquele sexo gostoso que antes fazíamos e por fim descobri que ele me traiu. Durante nossa conversa, na verdade discussão, ele me falou que foi devido a todos os problemas diários que temos enfrentado e pela falta de sexo, quanto ao qual ele alega também que porque engordei ele não tem mais tesão por mim. Sou culpada? Porque é assim que me sinto. Devo perdoá-lo?

Maria Peso na Consciência

Se você engordou 15 quilos, se vocês brigam o tempo todo, se você deixou de ser carinhosa com ele, se ele passou a ter alergia ao seu cachorro, se as suas famílias não se dão bem, se vocês não transam mais como antes, se você detesta assistir futebol e ele não gosta de nenhuma de suas amigas, tenha certeza de que não será metendo o pênis dele em outra vagina que ele irá resolver qualquer uma dessas questões entre vocês. E ele sabe muito bem disso. E além de ter te traído ainda te chamou de gorda. (Só por curiosidade, aposto que antes de te trair ele não conversou com você a respeito do seu peso, não é mesmo?) Girl, se ele engordasse 20 quilos, você o trairia com o sarado da academia ou o ajudaria a emagrecer? Sabe, é muito fácil colocar a culpa no outro e inventar justificativas insanas simplesmente para não termos de assumir um erro. Mas o fato é que nada, absolutamente nada disso serve de justificativa para a traição. Então, quando você estiver ausente, doente, menstruada, envelhecida, grávida, deprimida ou qualquer outra coisa que altere seu corpo, mesmo que temporariamente, pode muito bem servir de desculpas para ele sair com outra novamente, é isso que você pensa?

Nunca admita que nenhum homem culpe você pela infidelidade dele.

P.S.: NÃO TEM PERDÃO! Nenhum homem que chame uma mulher de gorda merece ser perdoado!!!

O PIOR LEVA AO MELHOR

É até difícil de acreditar no que vou te dizer, mas é um fato: talvez essa traição seja DE VERDADE a melhor coisa que tenha acontecido na sua vida, girl! Você deve estar achando que eu estou brincando com você, certo? Mas não estou, tá? É que muitas vezes a gente não percebe que aquilo que nos cerca, sejam pessoas, fatos, emprego ou objetos, nos fazem criar e sentir uma espécie de dependência, e nós temos a tendência a formar ciclos e a nos viciar nesses ciclos, mesmo quando eles não nos fazem bem (que coisa antagônica, não?), buscando sabe o quê? Segurança. Porque acreditamos que se as coisas forem sempre da mesma forma teremos domínio sobre o que acontece. E havendo segurança, automaticamente teremos estabilidade à nossa volta e, portanto, teremos maior poder sobre aquilo que nos cerca e consequentemente sobre nossa vida e nosso futuro. Só que segurança é apenas uma ilusão. Nada é seguro nesta vida e não detemos poder sobre nada que está a nossa volta. As pessoas das quais você gosta podem partir hoje, sua casa pode desabar, a empresa onde você trabalha pode falir, inclusive você pode morrer (mas não será por ter sido traída, ok?). E temos a tendência a querer essa segurança, mas o fato é que só há uma única coisa, **no universo todo**, sobre a qual você poderá se sentir segura, ter poder, e portanto controlar: SUAS EMOÇÕES. Só isso, mais nada!!!

E é o que você vai fazer a partir deste livro, girl, irá começar a controlar suas emoções a ponto de ter poder sobre si mesma e orientar a carruagem rumo à guinada que a partir de agora você se compromete a dar em sua vida. UHUU!! GUERREIRA!!!!

Você vai superar e depois perceberá que se tornou alguém muito melhor. Todas aquelas pessoas que atravessaram o lago da superação sentiram-se mais fortes e mais preparadas para lidar melhor e de forma mais madura com os seus novos relacionamentos. Todo mundo que atingiu a superação tornou-se uma pessoa melhor e consequentemente mais feliz. Lutar para obter a superação é o mesmo que fazer força para remar para fora do mar da confusão.

Existem mil maneiras de você ter adrenalina e emoção na sua vida. Há pessoas que são viciadas em problemas, que não se dão por satisfeitas em ter uma vida tranquila porque acham que tranquilidade é o mesmo que falta de emoção. A emoção é muito importante em nossa vida, ela é que a colore, mas não ter problemas amorosos não significa não ter uma vida emocionante a dois. O que as pessoas precisam aprender é que quem vive bem experimenta a paz, experimenta sentimentos fortes, sólidos e mais duradouros. A montanha-russa das emoções desenfreadas e carregadas de altos e baixos pelas idas e vindas de problemas de relacionamento, traições e ciúmes traz, no fundo, apenas o desgaste. E não é só o desgaste da relação, mas o da própria pessoa. Queira antes de tudo viver bem, comprometa-se com isso. Faça com que as coisas caminhem para isso. Acredite, eu ouvi confissões de pessoas que estavam na verdade viciadas em ciclos de traições e que não haviam ainda se apercebido disso. Tem gente que se vicia na adrenalina da pior espécie. Uff... É, o mundo está cheio de gente que gosta de cavar o próprio túmulo.

Você quer cavar seu túmulo ou quer cavar o buraco para fora da prisão?

Depois de acabar de ler este livro você nunca mais será a mesma nem tolerará determinadas situações em sua vida.

Depois deste livro você vai ser mais poderosa, porque depois que superamos situações difíceis, os abalos da vida são cada vez mais fáceis de enfrentar. E você aprenderá como romper com esses ciclos indesejáveis, como o ciclo das traições, o ciclo da vitimização, o ciclo das ideias, o ciclo das escolhas dos homens errados, das ações repetidas e uma série de outros que, se você analisar, verá que estão incrustados no seu dia a dia.

E estamos tão afundados nos ciclos que criamos dentro de nossas vidas que acabamos não percebendo que existem outras coisas por aí, que podem ser muito melhores.

Entenda por vício tudo aquilo que você não consegue parar de fazer de jeito nenhum. Comer chocolate só de determinada marca, ver somente o canal de TV "x", usar só o banheiro da sua casa, morar em Tuparanci. E o natural é que você, na busca dessa segurança e rotina de "estabilidade", pode ser que não conheça, ou nem queira, ou nem se ligue de que existem outros tipos, outras marcas, outras pessoas. E há pessoas tão agarradas a suas rotinas que a única forma de romperem o ciclo é sabe como? Quando o ciclo rompe com elas: a fábrica para de produzir chocolates daquela marca, o canal sai do ar, você tem uma dor de barriga a quilômetros de casa, a cidade sofre com enchentes, ele te trai partindo com outra, sozinho ou você o pôs para correr (o que me deixaria mais feliz). Aí você é obrigada a buscar o novo. A olhar para os lados, a experimentar outro chocolate, sentar em outras privadas, conhecer novas pessoas e beijar outras bocas. Mesmo que inicialmente não deseje isso.

Então, essa traição pode, e muito bem, representar a quebra desse ciclo, para que você perceba que há outras coisas maravilhosas à sua volta. E o incrível disso tudo é que você descobre que, por mais que não acreditasse, sempre foi capaz de viver sem aquilo no qual se viciou, embora não percebesse.

E quer saber da coisa mais legal disso? As pessoas sempre acabam descobrindo algo melhor; sendo mais clara ainda: ALGUÉM melhor!!! E quando eu disse sempre, eu quis dizer SEMPRE. Todo mundo que eu entrevistei e que foi traído disse que depois que tudo passou descobriu que podia viver sim, e muito bem, sem aquela pessoa, e que decididamente não era a pessoa certa para eles. E melhor, viram que no mundo existiam outras, e muito melhores.

Girl, se um homem te traiu e te deixou arrasada, saiba que essa é a pessoa errada para estar com você. Porque quem te traiu não é uma pessoa legal, e você, claro, merece estar ao lado da melhor pessoa do mundo. Porque você é uma pessoa maravilhosa!!!

Sabe aquela frase que muitas vezes já ouvimos, "depois da tempestade vem a bonança"? É bem disso que falo. Depois que o pior passa, então vem o melhor. Mas não só porque você merece uma trégua, como um bálsamo divino mandado pelo céu pra aliviar a dor como recompensa pelo sofrimento passado, mas sim porque depois que a traição acontece, você passa por um enorme processo de coisas que vão te levar a patamares muito melhores na vida. Sim, estou falando disso mesmo: APRENDIZADOS.

"P#@% que pariu", é o que você deve estar pensando. "Essa garota vem aqui me falar, justo na hora em que estou me afundando em lágrimas e com meu coração triturado em mil pedaços, que eu tenho de olhar as coisas pelo lado positivo, como se eu fosse o Dalai Lama? Será que essa perua não tem mais nada para me dizer?"

Eu sei que agora é difícil querer compreender a essência daquilo que no momento você julga ser a pior coisa da sua vida, e justo pelo lado mais visionário e transcendental, ainda por cima. Mas por mais que você esteja relutante em querer entender isso (porque agora tudo o que você quer é um remedinho de alívio imediato, que tire esse sentimento horrível de perda e rejeição de dentro de você), apenas aceite como uma verdade: O MELHOR ESTÁ POR VIR, tá, girl? Você tem duas opções para viver o melhor: pode se curar em dez anos ou se curar ontem mesmo. Superar isso você vai, uma hora vai mesmo! Ninguém que foi traído aos 20 anos sentiu a dor da traição até ficar velhinho; uma hora vai passar. Só que quanto tempo isso vai demorar vai depender de você. Por mim é ontem mesmo, e por você? Decida-se, girl!

Posso te ajudar (se você aceitar a minha ajuda, claro), se ler este livro até o fim (e a única razão que eu aceito para que você não o termine é o fato de se curar bem antes do que eu e você imaginamos) e se comprometer a fazer o que está sugerido aqui.

Qual é, girl, nós duas sabemos que ou você faz algo por você, e isso inclui seguir os conselhos do livro, ou então fica aí à deriva, esperando a dor passar por si própria. Só cuidado para não se viciar nela também, hein?

Neste livro você vai encontrar muitos casos de mulheres que foram traídas e que acharam que iam morrer, porque a dor e a decepção eram grandes. Seus sonhos desmoronaram e seus corações foram partidos. Algumas emagreceram horrores (se você quiser perder muitos quilos, não lhe indico ser traída, porque em algumas pessoas o efeito é contrário), e todas elas se sentiram um trapo, foram humilhadas, algumas abandonadas, injustiçadas, rejeitadas, e de lambuja viraram piada de outros. Só que essas mulheres superaram a si próprias. Há as que hoje estão se sentindo mais bonitas, há as que casaram com maridos melhores e até aquelas que descobriram que podiam ser felizes solteiras. Amiga, se elas puderam você também pode!!!

Saiba que é das grandes adversidades da vida que surgem as maiores oportunidades.

Mas toda a superação delas aconteceu, é claro, porque resolveram que não iam deixar a dor se curar por si só, "sabe-se lá em quanto tempo", e que iam fazer de tudo para superar ontem mesmo a traição. Claro que muitas fizeram coisas certas, e outras, coisas erradas nesse trajeto de se superar. Mas o importante é que foram em busca do caminho e de fazer algo por si. E é claro, estão agora aqui, junto comigo, para dizer a você o que deve ser feito e o que deve ser evitado também.

Sabe, ninguém tem uma grande recompensa se não passa por um grande desafio. E você quer a sua, né? E de preferência paga com juros, correções e tudo o mais que puder vir junto.

Agora repita comigo: **EU SOU** (no caso você, girl) **PODEROSA E NADA VAI ME IMPEDIR DE SER UMA MULHER MUITO MELHOR DO QUE EU ERA!!!**

Repita de novo... **EU SOU PODEROSA E NADA VAI ME IMPEDIR DE SER UMA MULHER MUITO MELHOR DO QUE EU ERA!!!**

Agora de novo...

Isso, de novo...

Mais alto e mais forte...

Vai lá, **PODEROSA**, repitaaa... Quanto mais, melhor!!!

EXERCÍCIO 1

Fazer uma lista de todas as suas qualidades (e não vale ser modesta!) que justifiquem você ser merecedora de toda a felicidade do mundo. Vai lá, girl, quero ver essa lista bem enorme, sem humildade nenhuma, a gente é o máximo e merece tudo de bom que a vida tem a oferecer (e isso inclui o melhor homem do mundo também), então capriche e comece agora. Quanto mais qualidades você se der, mais rápido irá se recuperar dessa traição, então vamos lá, quero ver essa lista colada no espelho do seu quarto, que é para você se arrumar todos os dias bem bonita enquanto lembra que é PODEROSA, LINDA, MARAVILHOSA, COMPANHEIRA, TALENTOSA, BATALHADORA, CARINHOSA, SENSÍVEL, HONESTA e uma porção de coisas que você sabe que é, que te fazem ser a melhor pessoa do mundo e que te lembrarão que: ELE TE TRAIU? PROBLEMA DELE!

Observação: eu tenho uma lista dessas no meu espelho, enfeitada com purpurina lilás, ainda por cima. Quando eu fiz ficou tão bonitinho que permanece até hoje pendurada no meu espelho. Hahahaha...

Extreme *make over*

Sabe qual é uma das partes mais difíceis da traição? Ter de reconstruir agora, dentro de você, a verdadeira imagem da pessoa com quem você se relacionava e que acreditava ser uma coisa que não era. E é claro, antes de reconstruir essa nova imagem de quem te traiu, você vai ter de desconstruir aquela que havia criado. E desconstruir a velha imagem para depois construir essa nova imagem leva tempo, porque você tem de trabalhar bases já formadas, elaboradas e atijoladas dentro de si que formavam a sua ideia sobre essa pessoa. Então, ao mesmo tempo em que você a desconstrói, você se desconstrói também. Ao mesmo tempo em que você a constrói nessa imagem nova, você se constrói novamente. E é por isso que esquecer alguém por quem fomos muito apaixonados leva bem mais tempo do que ter se apaixonado por ela. Porque antes você estava vazia, e provavelmente foi só jogando as melhores coisas que via dessa pessoa dentro de você; de repente algumas informaçõezinhas não tão legais também entraram, mas com certeza você o olhou pelo melhor ângulo (senão não estaria tão chocada assim com o fato de ele ter te traído) e a partir desse ângulo é que você acabou montando a tal da imagem ilusória.

> Help Vanessa: a exorcista
>
> *Van, não sei o que houve, estou atordoada, me sinto em uma ilha perdida, não só porque fui traída, mas porque não reconheço mais meu namorado, ele se transformou*

em outra pessoa. Aquele garoto por quem me apaixonei é muito diferente do garoto que me traiu e com quem estou neste momento. Ele era educado, sério, carinhoso, ia na igreja e me tratava muito bem. Hoje grita comigo, fica bravo toda vez que toco no assunto da traição e tem me deixado muito triste com suas atitudes, inclusive ele sai à noite e não me dá satisfação, também deixou de ir à igreja comigo. Será que ele está passando por algum problema espiritual? Já ouvi falar de pessoas que são possuídas por espíritos malignos e por isso não têm noção das coisas que fazem. Nesse caso ele não seria culpado, acredito eu. Se puder me ajudar com sua opinião eu agradeço.

Maria Lost

Girl, sinto muito te falar, mas o teu namorado não se transformou em uma outra pessoa desde a data em que te traiu. Na verdade ele se "transformou" em outro quando te conheceu e só agora resolveu mostrar o "espírito maligno" que realmente é. A verdade é que para te conquistar ele cuidou direitinho da imagem dele e depois, passado um certo tempo, cansou de interpretar. Sim, claro, oh girl, ele precisa de um exorcista – que o livre da obsessão da falta de vergonha na cara. Amiga, seguinte, esse espírito aí você pode dar por perdido, não gaste vela boa e oração com espírito ruim. Acompanhe a missa que na próxima paróquia aparece um bem melhor.

QUANDO VOCÊ SE SENTE UM LIXO...

(Aquele momento em que descobre que ele te traiu
e dá um baita complexo de inferioridade)

Uma coisa que você precisa entender e que é importante é que, se ele te traiu com outra, isso não é prova de que a outra pessoa é melhor que você. Portanto, não se sinta diminuída, por mais que esse sentimento seja forte em você e que seja compreensível o fato de senti-lo nesse momento. Porque essa pessoa com quem ele te traiu DE VERDADE NÃO É MELHOR DO QUE VOCÊ.

Quem te traiu pode ter certeza de que foi movido pela curiosidade, pela aventura ou pelo costume (nem sei o que é pior) de trair. Os homens não traem porque uma mulher é melhor do que a outra. Quer exemplos? Você se lembra do ator americano Hugh Grant, que traiu sua esposa (a linda e maravilhosa modelo e atriz Elizabeth Hurley) com a garota de programa Divine Brown (sem comentários), dentro do carro, por 60 dólares? E o inglês príncipe Charles (aquele babaca patético), que traía a (poderosa) Diana com a Camila (Deus é pai!)? Está lembrada? Então, é disso que eu estou falando. Ele te traiu por um defeito de caráter DELE e não por defeito de fabricação sua.

Quem te trai é que é o idiota da história, que não teve inteligência e sensibilidade suficiente de ver que estava ao lado **da melhor mulher do mundo** (você!) e que jogou o bilhete da loteria fora, deixando a Mega acumulada para o inteligente que tiver a sorte de topar com você pela vida!

Não caia na armadilha de achar que o problema é com você porque não é. Muitas e muitas vezes eu vi acontecer assim: o cara se empolgou com determinada garota, achou que essa outra era interessantíssima, foi lá, deu em cima dela, te traiu (ou aceitou a cantada) e depois viu que não era naaaaada daquilo que ele imaginava, ou então apenas matou a curiosidade e pronto. Então, girl, pense junto comigo. O motivo que o levou a fazer isso na verdade é tosco e no fundo nem importa; o que você precisa extrair dessa história toda é o seguinte: que um homem que trai não serve para estar ao seu lado – e que bom que você descobriu! Agora você já tem a comprovação e, portanto, sem desculpas para duvidar de que ele não era a pessoa certa para você. E espero de verdade que você não tenha cometido a idiotice de ficar achando que perdeu a melhor coisa da sua vida.

E que vá pastar bem longe de você esse boi, porque você não tem tempo para perder com gente que é desonesta com você e que vai sucumbir a uma aventura passageira, ter um frenesi de curiosidade, tesão ou vacilo de caráter e sair por aí experimentando outras.

Amigaaa, isso é muito pouco para você. Um homem assim é muito pobre de personalidade para estar ao seu lado. Você é muito mais do que toda essa coisa pequena que circunda o mundo dele. Dele, viu? Esse mundo pequeno é só dele. Isso não faz parte da sua vida porque você não age assim. Afaste de você toda e qualquer pessoa que não estiver à altura de se relacionar contigo e te respeitar como mulher.

Aprenda a selecionar o tipo de gente que anda com você!

O seu interior é rico, seu mundo é grande, amiga, e não é um mundo de conformidade, você quer o melhor para si e não aceita estar ao lado de um cara mais ou menos, com um relacionamento mais ou menos, levando um chifre aqui e outro ali...

Nananinãnão... Isso não diz respeito a você. E não combina com a supermulher que você é! Portanto, você não vai mais se sentir um lixo, porque lixo é ele e onde ele está.

Aprenda com titia Vanessa: Todos os homens que traem não prosperam na vida pessoal, são na verdade infelizes.

Santa, não!

Esqueça, não dá pra juntar os caquinhos e montar tudo de novo. Aprenda uma coisa na vida: há coisas que não têm conserto. E algumas delas não precisam mesmo ser consertadas. A relação de vocês é uma delas.

Você não precisa perdoá-lo, conviver com ele nem passar por ele e se obrigar a dar bom-dia sem sentir raiva ou nojo só porque te ensinaram que esses sentimentos não são católicos e que isso não é atitude de gente adulta e superior. Eu realmente quero que você passe por ele sem experimentar nenhum sentimento sequer parecido com esse. Mas é tudo ao seu tempo. Então não vou te pedir isso agora, até mesmo porque seria uma utopia.

É muito difícil conviver, mesmo que não seja na intimidade, com alguém que nos traiu. Eu mesma não conviveria com um homem que me traiu. Aliás, larguei o pai da minha filha quando ela ainda era um bebê e tenho certeza absoluta de que fiz a melhor coisa do mundo. Gente que mente para nós e que quebra o que de mais precioso tem numa relação, A CONFIANÇA (seja essa relação de amizade, de negócios ou de amor), não deve estar no nosso círculo de relacionamentos.

Às vezes é inevitável que essa pessoa passe todo dia na

sua frente, no caso de quando trabalham no mesmo prédio, por exemplo. Mas passar no mesmo corredor sob hipótese alguma significa que ele esteja vivo em seu mundo. Ele agora está lá e você aqui, entendeu?

Ah, ia ser maravilhoso se a gente fosse que nem Madre Tereza de Calcutá, amar e perdoar até mesmo quem nos magoou. Lindo, isso! Mas não dá, isso é evolução demais para os primeiros momentos pós-traição e separação, e eu sinceramente não espero isso de você assim de imediato e por isso não peço.

Mas vou te pedir para tentar esquecê-lo e se esforçar nesse sentido. Urgentemente. E daí, depois que você esquecê-lo, e isso naturalmente leva certo tempo, você vai perceber que não sente mais raiva e que pode, sim, passar no mesmo corredor sem desejar matar o imbecil (que nessa hora será apenas alguém passando no corredor). Aí, sim, você vai se sentir adulta e superior, até católica. E duplamente superior, porque a primeira sensação de superioridade vai ser quando você recuperar seu amor-próprio. Depois, é claro, quando superar toda essa m@%# que aconteceu na sua vida.

Sabe, se você é uma dessas mulheres caridosas que perdoam aqueles que traem porque fica com pena deles e quer lhes mostrar um mundo novo e como ser mais éticos, saiba que o seu perdão não fará dele uma pessoa melhor. Infelizmente, é na perda que as pessoas aprendem mais.

COISAS QUE VOCÊ DEVE FAZER PARA SE MANTER VIVA

(Brincadeirinha... Mesmo que não faça, você vai sobreviver, mas é melhor fazer)

Estar, sempre que possível, acompanhada

Estar com suas amigas o maior tempo possível é algo muito importante. Nessa hora você descobre como é bom tê-las por perto, e também descobre quem são as suas verdadeiras amizades. Portanto, lindona, não fique sozinha, porque ficar sozinha é ter tempo para pensar na dor.

Eu falo aqui de amigas mesmo, aquelas que são os parentes que a gente teve a oportunidade de escolher. Mas a sua família também é muito importante nessa hora, e se você puder contar com seus familiares e tê-los por perto, então sinta-se privilegiada, porque eles são um reforço a mais. Assim, se as suas amigas estiverem trabalhando, vale bater na porta dos familiares. Aliás, você vai descobrir nesse momento o quanto eles são importantes na sua vida, e tenho certeza de que você vai perceber que os seus laços estarão nesse momento sendo reforçados.

Sabe, não estou querendo te dopar para que você não fique pensando na traição e portanto não analise o que aconteceu, acho que será importante você refletir sobre isso, sim, mas será em uma outra hora, não agora. Porque agora você está cheia das emoções pulando aí dentro de você, nem vai conseguir ver as coisas de uma forma nítida e clara, como elas realmente são. Depois sim, você poderá analisar o quanto quiser, embora eu saiba que quando de verdade puder fazer isso não vai querer perder seu tempo com o que passou. E você pensará que tudo aquilo foi tão banal que nem valerá ser lembrado.

O que quero que você faça agora é evitar ficar sentindo a dor da traição, porque combinamos que você vai superar "ontem" mesmo, certo? Então você precisa se desconcentrar dessa história e parar de pensar nele. O que você vai fazer é sair com sua amiga, mas não será para conversarem exaustivamente sobre ele e a traição (se for assim é melhor que nem se vejam), mas para fazer coisas que havia muito tempo você e sua melhor amiga não faziam (até porque você estava ocupada demais com ele). Então, vão ao cinema, reúnam mais duas boas amigas para jantarem fora. Tomem alguns drinques. Passeiem por aquele cantinho especial da sua cidade (desde que esse canto não te lembre ele), vão ao parque de diversões, ao Clube das Mulheres, ao planetário, a qualquer lugar que seja legal. Reviva o Clube da Luluzinha como nos bons tempos, só que sem os quebra-cabeças enlouquecedores sobre o que lhe aconteceu. Quando alguma delas chegar para você dizendo que acabou de saber da história e querendo detalhes, mesmo que se mostrando interessada em seu bem-estar, diga-lhe que "é melhor nem falarmos disso, estou até cansada desse assunto tão pequeno", e resista ao fato de novamente começar a contar tudo o que houve. Porque recontar e recontar a mesma história é reforçar, reforçar, reforçar e reforçar o ciclo dela.

E queremos sair do ciclo, não é mesmo?

Viajaaar... (mas não na maionese)

Sabe o que seria ótimo também? Se você pudesse viajar.

Se não dá para tirar férias, tenho certeza de que pelo menos um final de semana é possível, não? Ficar fora da rotina e de tudo aquilo que te faz lembrar dele e dos fatos que cercaram a traição é ótimo. Se for possível, veja quanto custa numa agência de viagens alguns dias em um lugar bonito. Agências de viagens têm pacotes espetaculares, que fazem até pobre se sentir rico por dois dias. Você merece! Esse é o seu presente de libertação! Eu estou até para te dizer que essa é uma dica importantíssima. Imagine-se longe de absolutamente toda essa energia degradante que te cerca nesse momento e que envolve o sujeito e a traição. Não te parece resplandecer uma paz merecida? Longe de absolutamente tudo isso?

As pessoas, quando saem para viajar, costumam pensar bem menos nos seus problemas; isso porque o problema não está estampado no novo quarto onde você vai dormir nem na paisagem bonita e nas pessoas diferentes que você vai conhecer. Você nesse momento precisa cair fora da rotina, porque parece que cada centímetro do que tem na sua vida cotidiana guarda um pedaço dele e da situação que você viveu. Aquela rua lembra onde você o viu, o telefone lembra suas ligações para ele e vice-versa, os amigos falam dele, sua vizinha pergunta se você está bem, porque no fundo ela já sabe da história e fica ali te relembrando com cara de *Eu sei o que ele fez com você no verão passado*. A padaria lembra a quantidade de pãezinhos que você levava para casa para vocês, o carro lembra que ele o usou para ir de encontro à traição, sua cama te lembra que ele dormiu lá com você depois de tê-la traído e assim por diante. O cheiro de todas essas coisas tem de passar, e será muito melhor se passar enquanto você estiver livre da sua rotina. Seja lá qual for o tempo fora da rotina, ele será benéfico, e quanto mais tempo, melhor será. Quando você voltar verá que as lembranças não serão mais tão fortes como eram quando você saiu para suas pequenas férias. O fato é que nossa constância ali, na situação e no ciclo dela, é que faz alimentar o cheiro da traição. E agora nós queremos é o cheiro da novidade, de coisas boas e que nos trazem alegrias. Acredite, não será nada anormal você sentir um ímã te puxando para casa, enquanto você fica encolhidinha na sua cama e tendo como acompanhante a depressão. Resista a ela! Desprenda-se e vá viajar.

Pensar em você e na sua nova namorada

Que é VOCÊ, claro. Apresente-se a ela. Olhe-se no espelho e diga quem é a nova namorada que está à sua frente e quais são os objetivos que você tem para ela e com ela agora. Diga a ela que você vai lhe apresentar uma lista de todas aquelas coisas surpreendentes que você sempre quis fazer, mas que nunca pôde porque seu último relacionamento não permitia. E diga também o quanto está feliz de se relacionar com ela, que até que enfim encontrou sua alma gêmea, alguém que é igualzinho a você, gosta das mesmas coisas e não vai ficar fazendo coisas irritantes com as quais você não suportava conviver. Sua nova namorada é perfeita e é hoje a pessoa a quem você irá se dedicar mais do que a si própria. A partir de agora, quando te perguntarem quem é o grande amor da sua vida você dirá: EU!

Nesse estágio de superação você não pensará mais nele, nem no que ele está pensando, nem na traição, nem se ele está arrependido, se quer voltar (no caso de vocês já terem efetivado a separação), nem onde ele está, nem se está com alguém, nada, nada, nada; você só pensará agora em você e na sua nova namorada. Olha que gata que você arranjou! UAU!!!

Tindolelê, tindolêlê

Enfiar a cara no trabalho, arregaçar as mangas e se entregar de corpo e alma àquele projeto profissional que você deixou parado ou que está até em andamento. Trabalhe, trabalhe e trabalhe, enfie a cara no trabalho, porque quanto mais você trabalhar, menos pensará nele e no que aconteceu. E quanto mais você trabalhar, mais se sentirá produtiva e vai perceber o quanto é uma GUERREIRA. Que tem valor e que há muito no mundo ainda para você conquistar. E mesmo que seu maior sonho seja apenas abrir uma banca de revistas, é seu sonho e nada vai te impedir de chegar lá!

Você vai arregaçar as mangas e evitar ficar jogada na cama enquanto o mundo gira e você anda em círculos entrelaçados no cíclico pensamento de POR QUÊ E POR QUÊ E POR QUÊ, isso porque algumas perguntas não têm mesmo razão de ser e irão ficar sem uma explicação maior que o fato de simplesmente ele ser um babaca. Além do quê, nada que aconteceu pode ser mudado, mas você pode fazer um futuro bem diferente, aprender com isso e evitar que essas coisas voltem a acontecer.

Faxina mental

Aquilo que você pensa se reflete no seu corpo, que se reflete no seu meio, que se reflete nas pessoas que convivem com você e que, portanto, se reflete no mundo que você cria e no mundo no qual você interage.

Hoje você pode estar amargurada, mas tenho certeza de que não quer estar assim amanhã, certo? Então precisamos eliminar da nossa mente aquilo que não nos acrescenta e que irá refletir dentro de nós, no nosso corpo e no mundo lá fora coisas que não queremos.

Depressão e pensamentos negativos criam doenças; queremos uma vida saudável.

Tristeza contagia as pessoas que estão à nossa volta; queremos ser pessoas felizes e ter amigos felizes.

Raiva e ódio fazem com que envelheçamos mais depressa.

Queremos ter espírito jovem e que nosso corpo passe seus anos com dignidade.
O que pensamos hoje é o resultado de como estaremos amanhã.
Isso é supersimples, fácil, fácil, facílimo de fazer. Vamos iniciar a faxina na mente a partir deste momento, e para isso iremos inicialmente substituir a sujeira pela limpeza. Você, para não se tornar uma pessoa amargurada, começará neste momento a formular frases na sua mente como estas:

- Tudo passa.
- Amanhã é um novo dia.
- Eu aprendo com tudo.
- Sou uma mulher forte.
- O melhor está por vir.

Tire do seu vocabulário as seguintes frases:

- Quem com ferro fere com ferro será ferido.
- Hoje eu, amanhã você.
- Aqui se faz, aqui se paga.
- Hoje está em cima, amanhã estará embaixo.

Essas frases pertencem a pessoas rancorosas e que estão centradas em um objetivo pequeno, o da vingança. Tudo aquilo que você foca é exatamente aquilo que na sua vida você expande. Você quer se focar na tristeza e expandi-la em sua vida? Tenho certeza que não. Então não a deseje para você nem para ninguém. Você quer que muitas coisas boas aconteçam na sua vida? Então foque a esperança, o entusiasmo, a felicidade, a conquista, o amor verdadeiro e tudo aquilo em que você pensa no momento e com que seu coração se alegra.
Foque-se em tudo aquilo que você sente que faz a sua vida prosperar. Quando vier um pensamento triste imediatamente

substitua-o por um pensamento alegre ou por uma paisagem mental da natureza. Comece a pensar que o mundo é grande demais e que você tem coisas ultraimportantes a fazer nesta vida sempre que pensamentos e lembranças pequenas e medíocres brotarem em sua mente. Foque-se no que é bom!

Fazer uma lipoaspiração

Oh, céus, você merece uma lipoaspiração! Toda mulher traída deveria ter direito a uma lipoaspiração. O SUS deveria custear esse procedimento a toda mulher traída que ficou arrasada e que está prestes a entrar em depressão. Porque, de certa forma, lipo seria uma estratégia de prevenção à depressão. E depressão causa outras doenças, não é verdade?

E não há nenhuma mulher que faça uma lipo e que se encontre em lágrimas senão as de alegria!!

Eu estou brincando, mas estou falando sério... Hehe.

Enfim, o que eu quero dizer exatamente é que você precisa de coisas diferentes na sua vida e isso implica fazer mudanças nela, ao redor dela e em você também. Não necessariamente você vai largar este livro e disparar para a mesa do cirurgião, mas pode começar por coisas mais básicas, como mudar o seu cabelo. Já pensou em cortar, alongar, tingir, raspar (essa opção melhor não), sei lá, qualquer coisa. Mulher tem disso, quando a gente mexe na autoimagem a gente acaba mexendo dentro da gente (e vice-versa), as duas coisas estão meio interligadas. E eu nunca vi, nesses meus 34 anos de vida, nenhuma, mas nenhuminha mulher que não sentiu prazer em sentar na cadeira de um excelente cabeleireiro, se entregar de corpo e alma e não sair de lá radiante, pelo menos nos primeiros minutos. Até hidratar e cortar as pontinhas nessas horas tem um valor significativo. O psiquiatra estaria interpretando: "Hummm, ela está reagindo".

Apenas te peço uma coisa: ao sair do cabeleireiro, não pense em querer aparecer para ele de cabelo novo, na tentativa de chamar a sua atenção para que ele veja o que perdeu, ou a fim de ver se percebe nele aquela ponta de remorso, ciúmes, e se então ele liga para você ou qualquer coisa.

Vou dividir aqui uma experiência pessoal com você: parece que a gente corta um pedaço do cabelo e corta um pedaço dele junto, de dentro da gente. É incrível isso!!!

Você pode também sair do cabeleireiro e ir às compras, naquela sua loja preferida. E se a grana estiver curta, você pode aproveitar a promoção da Renner, da C&A, da Marisa; só não pode se afundar em dívidas, mas óóó, uma blusinha de 30 reais, nem que seja parcelada em 6 vezes sem juros no cartão, para pagar a primeira parcela daqui a 60 dias, faz uma difereeença no ânimo, dá uma alegria! Uau! Numa hora dessas uma roupitcha nova faz a gente se sentir gente!

Você pode reorganizar seu guarda-roupa novamente, aliás, você deve. Porque esse na verdade é um exercício de se desapegar de tudo aquilo que não tem mais razão de ser em sua vida. Aproveite para doar tudo aquilo que não lhe serve mais e deixe espaço em seu guarda-roupa para as novas delícias que vão chegar da loja. E isso tem um valor psicológico bastante simbólico. Ao dar o que você não quer mais você está dizendo para si mesma que deseja que o novo chegue a sua vida. E dê sem dor, sem dó. Não te serviu? Já era!!!

Escrever uma carta para ele

Você faz assim: escreve uma carta para ele desabafando tudo, como ficou triste pela história toda. Conta como foi chocante saber que ele teve a capacidade, o cinismo e a falta de vergonha na cara de fazer uma estupidez dessas com você. Fale de todos os sonhos que você já planejou com ele e lembre-o também de tudo aquilo que você já fez para ajudá-lo e das coisas que passaram juntos, as boas e as ruins. Pode deixar as marcas de lágrimas na carta, é sempre emocionante vê-las ali.

Então, em dado momento da carta você começa a xingá-lo de todas aquelas palavras horríveis, pode botar as mais cabeludas, e sem se preocupar em abreviar ou usar três pontinhos. Escreva onde você quer que ele vá sentar, onde vá tomar e de quem ele de verdade é filho. Desça o cacete pra valer! Diga tudo o que tiver vontade de dizer. A carta pode ser quilométrica e é para ser escrita em uma única sentada; não se preocupe com a estética e com os espaços de parágrafo, a carta é a expressão do seu estado momentâneo, reflete o que há dentro de você nesse momento e que precisa sair. Logo, a caligrafia pode ser meio garranchinho, para ele perceber bem como você está por dentro. E com marcas de lágrima vai ficar perfeita. Lembre-se, essa é a última carta que você vai escrever para ele na vida, portanto, capriche!!!

Depois que você acabar de xingá-lo, começa a outra parte. Você vai lembrar a ele, e a si mesma também, de quanto suportou todas aquelas manias horrorosas dele – cutucar nariz enquanto via TV, comer em cima da cama, deixar cueca atirada no canto, arrotar na sala diante das visitas, falar mal dos outros pelas costas, puxar saco do patrão. Vai lá, poderosa, detona!!!!! Detona!!!! Quero ver essa carta, lindona!!!! Bote no papel a lista de tudo que ele fez de irritante, mesquinho, vergonhoso e que você era obrigada a suportar. E não me venha com aquele papo de me dizer agora que nem sabe direito o que escrever por ele ser perfeito, porque isso só se você estava cega ou ficou louca da cabeça. Todo mundo tem defeito, e o cara que te traiu mais ainda. Aliás, se ele fosse perfeito não tinha te traído.

Pronto. Acabou de escrever e se lembrar de como você foi guerreira por ter aturado essas coisas, como ele coçar saco e sair para jogar futebol te deixando sozinha? Lembrou das manias dele, que na verdade eram só desculpas para passear e poder te trair? Lembrou e escreveu tudo isso a ele? Vomitou tudinho na carta bem direitinho? ÓTIMA GAROTA! Agora se despeça dele dizendo bem assim: **graças a Deus que você está longe de mim e que pude descobrir que você não presta, assim estou livre para descobrir um verdadeiro amor, seu...** (coloque aqui a ofensa mais condizente com ele e sua moralidade).

Assine a carta como PODEROSA xxxx (seu nome). Agora dobre a carta, coloque no envelope, feche com cola, adesivo da Hello Kitty ou cuspe (boa, cuspa dentro da carta) e, é claro, agora queime a carta. Porque você nunca vai deixar que ele saiba o quanto aquilo arrasou você. Ele não merece. A carta serviu para você expulsar todos os demônios que estavam dentro de você. Acredite, fazer isso ao vivo com ele seria horrível; além de te ver em péssimo estado emocional, o que mais tarde faria você se arrepender terrivelmente, ele provavelmente não deixaria você expor nem metade de tudo o que pensa e talvez fizesse papel de vítima, tentando te fazer sentir pena dele ou até mesmo deixar você pensando que também tinha culpa no cartório. Discutir, discutir e discutir algo que não tem mais conserto é desgaste de energia. Você só estava precisando falar e botar tudo para fora. **Expurgar é necessário.** Não interessa se ele de fato não estava ali para ouvir, o importante é que você ao escrever se deu conta de tudo o que ele é, do que ele fez, e aproveitou para cair mais ainda na real. Essa carta é libertadora e você vai se sentir muito melhor depois dela.

Observação: nunca cometa o crime de enviar o que você escreveu a ele. Nenhuma carta dramática faz com que um homem tenha vontade de estar perto de você. Muito pelo contrário, eles fogem da situação de mulheres chorando e raivosas, porque não sabem lidar com isso. Você vai se sentir muito mal se o fizer, porque não é isso que vai fazer ele se arrepender. O arrependimento dele e a sua vingança serão tratados em um capítulo mais adiante... Hehehe.

Divirta-se com comédias

Sim, claro, meu Deus, que remédio é melhor do que rir para superar uma tristeza? Gente, eu sei por divina experiência própria. Uma vez fui traída e fiquei rindo por duas horas, de tão boa que era a peça.

Mas tem de ser comédia, **só comédia**!! Para que você libere endorfina e contagie seu corpo todo com essa substância. Aliás, a pele fica ótima com endorfina correndo pelo sangue, sabia?

Assista a uma comédia no teatro. Ah, qual é, não me venha com a desculpa de que na sua cidade não tem teatro. Na cidade mais próxima deve ter. E se não for assistir a uma peça de teatro, pode ser um filme de comédia (só que tem de assistir com outras pessoas, porque aí é mais engraçado, você acaba rindo só pelo fato de a outra pessoa rir, por isso é que no cinema é sempre mais divertido), você pode até ouvir um disco do Costinha que também vai funcionar. Vale livrinho de piada e assistir aos vídeos engraçados do YouTube.

Visite um orfanato

O quê?!
É isso aí. Vá a um orfanato. Visite-o. Não necessariamente você vai até lá para adotar uma criança. Mas você pode participar de alguma forma da vida delas naquele momento. Sinta a presença das crianças e perceba o quanto elas precisam de você. E acredite, não é você que está fazendo bem a elas, elas é que estão te fazendo bem por te darem a oportunidade de se sentir importante e útil nesse momento.

Ajude pessoas que precisam de ajuda, mesmo que nessa hora você sinta que é a pessoa mais infortunada da vida e quem mais está precisando nesse momento. O fato é que, além de você se afastar da história toda da traição, vai perceber que o mundo é grande demais e que muitas coisas precisam ser feitas. Irá também perceber que não há tempo a perder com coisas e pessoas medíocres demais e que seu precioso tempo pode ser gasto com produtividade emocional e física, para você e para outros.

Se você gosta de cães, ótimo; poderá ir a um abrigo de cães abandonados. Se você gosta de idosos, então vá a um asilo. O importante é que seja de caráter filantrópico a sua atitude e que você tenha afinidade com o lugar escolhido. Não há quem não volte de um orfanato tendo certeza de que sua vida é maravilhosa!!!

Transcenda espiritualmente

Sério, estou falando bem sério. Ampare-se em Deus. Segure o queixo, eu sei, eu sei... é um pouco antagônico você ler algo nesse sentido vindo logo de mim. Mas é que foi absurdo o número de pessoas que deram seus relatos de superação da traição tendo como base o apoio na espiritualidade, seja ela em que caminho for. A busca de algo além deste plano ajudou muitas pessoas que estavam passando por esse momento difícil. É algo não provado cientificamente, porém comprovado na prática. Pessoas com crença em um ser supremo ultrapassam barreiras através da confiança e do amparo que sentem vindo dele. Portanto, converse com Deus nessa hora e imagine-o como um grande amigo seu, que dá um colo e que te diz que sempre há um paraíso mais à frente esperando por você.

Aproveite essa oportunidade para se fazer perguntas para as quais antes não tinha tempo e talvez nem interesse, como saber quem você realmente é e do que é capaz. Volte-se nesse momento para dentro de você. A ordem aqui é centralizar-se, e você pode fazer isso através de meditação, ioga, oração ou qualquer outra forma de autoconhecimento que esteja ligada à transcendência espiritual.

Claro que nesse caso Deus não deixa de ser uma forma de bengala para esse momento. Mas se a bengala ajudar, por que não usá-la?

Aproveite para se voltar a tudo aquilo que diz respeito ao seu EU interior; é dessa forma que as pessoas crescem e se tornam melhores. Eu falei você **se entender**, eu não falei você entender os detalhes da traição. São duas coisas bem diferentes. Esteja preparada para se descobrir novamente, porque você verá aí dentro uma mulher muito forte, que talvez nem imaginasse que existia. Pessoas e atitudes podem te ajudar, mas ninguém irá curar você a não ser você mesma.

Eu li relatos impressionantes de mulheres que não acreditavam que tinham tamanha persistência na vida, mulheres traídas e que não só se separaram daquele que elas acreditavam ser o homem das suas vidas, mas também perderam suas casas, seus amigos, seus filhos e perderam-se de si mesmas ao se desequilibrarem após uma traição. E o fator DEUS esteve presente em muitos depoimentos de superação.

COISAS QUE VOCÊ NÃO DEVE FAZER NEM MORTA

Há uma lista de coisas aqui que irão garantir a sua sobrevivência e que espero que você faça. Tenho certeza de que mais tarde você irá me agradecer por isso.

Correr atrás dele, jaméééé...

Pedir para ele voltar para você depois que ele te traiu e foi embora, sozinho ou com outra, tendo sido escorraçado por você ou tendo ido de livre e espontânea vontade – isso é algo que você não deve fazer NEM MORTA (bem, morta não fará mesmo).

Se ele foi embora sozinho, caso volte (o que será péssimo para você), virá com a certeza de que você permite que ele faça qualquer coisa. Porque se ele te traiu e ainda por cima você o chama para participar novamente da sua vida, então é porque está disposta a dar seu amor-próprio a ele, sua felicidade e sua dignidade. Você pedir para voltarem é o mesmo que dizer "venha e pise em mim novamente!". Um psiquiatra iria mais a fundo; ele interpretaria essa atitude como: "Volte e pise em mim novamente, ainda não estou satisfeita".

Pense na seguinte situação: um ladrão rouba o mercado,

causa um dano enorme na vida do proprietário e depois esse mesmo proprietário o chama para ir até lá, *para fazer umas comprinhas.*

O que você pensa a respeito do dono do mercado? Que ele é louco!!

Agora vamos raciocinar pelo lado do ladrão...

Você acha que só porque o dono do mercado foi legal com ele, perdoando-o e convidando-o a *fazer umas comprinhas lá*, ele vai deixar de roubar novamente quando pintar uma boa oportunidade?

Querida, se passou pela sua cabeça convidá-lo para voltarem a se relacionar amorosamente, te digo que você não está nada bem. Uma mulher inteligente, com muitas oportunidades ainda por vir na vida, que se ama e que está disposta a dar a volta por cima e seguir em frente, NUNCA, NEM MORTA irá abrir as portas do seu coração, da sua vida ou da sua casa novamente para um sem-vergonha desses.

Descobrir que ele te traiu e que não poupou a menor energia para sair com outra mulher em vez de se dedicar a você é prova real do quanto ele é desonesto e leviano com seus sentimentos. Responda agora: por que diabos uma mulher como você vai correr atrás de um cara como ele?

E se ele te traiu e ainda por cima foi embora com a outra, então menos ainda uma hipótese dessas deve passar, nem como uma leve brisa, pelos seus pensamentos.

Evite as recaídas, por favor, porque recair é o mesmo que retroceder. É o mesmo que dizer que você se contenta com migalhas e que aceita numa boa o que ele fez com você, mesmo que você tenha esperneado um pouco. Além do quê, ter uma recaída te leva a ter de começar novamente todo o tratamento de superação e isso faz com que volte à estaca zero e, portanto, mais longe do ponto de onde quer chegar: à superação de seus próprios limites, feliz e com novo amor.

Ok, ok, você pode até dizer para si, nesse momento, que não

quer saber tão cedo de envolvimentos amorosos. Tudo bem, vou deixar você "me enganar" e se enganar um pouquinho. Mas saiba que, no fundo, um novo, mais lindo e novo amor é tudo o que você quer.

Estar ligada sob alguma forma à vida dele... Never, never, never...

Outra coisa que você não pode fazer NEM MORTA é: "acidentalmente" ir ao encontro dele nos lugares em que você sabe que ele estará. Como a rua da casa dele, por exemplo, como se tivesse ocorrido uma coincidência incrível, ainda mais se for no horário em que ele costuma sair para trabalhar a pé. Esse é um caminho que não pertence ao seu mapa. Esqueça aquela rua. Mesmo que a direção do volante force para o lado da casa dele, force o seu braço, na marra, na direção contrária.

Girl, conscientize-se de que estamos aqui, nós duas (eu e você), empenhadas em te ajudar, e disso depende quase que absolutamente você evitar fazer aquilo que antes já estava acostumada a fazer e que considerava normal, parte da sua rotina. Vamos encarar os fatos, por mais que doa: a vida dele não tem nada mais a ver com a sua vida!!!

Agora você não pode mais estar por dentro da vida dele. E nem quer! Porque a vida de gente pequena não lhe diz respeito e você não pode perder tempo com o passado porque tem de ter tempo sobrando na sua vida para o grande amor que vai aparecer a qualquer instante.

Cada minuto pensando nele, ou revivendo coisas que passou com ele, é um imenso desperdício de tempo, é minuto que você perde de estar se preparando ou estando com aquela pessoa que de verdade te merece e com quem você vai ser feliz. Então não pode mais ir lá, tá, girl? Reviver na mente, no físico ou no visual será sempre o mesmo que retroceder. O que você precisa agora é de projeção e não de retrocesso. Você precisa se conscientizar disso!

Então, nada de ir à rua dele. Nada de ligar para o seu celular, nem que seja de um número restrito, só para ouvir a voz dele (e até parece que ele não vai saber que é você). Nada de pedir para uma amiga sua descobrir como ele está, nem onde está e muito menos se está com alguém. A partir de agora é se policiar cada vez mais para evitar os acessos que você mesma é capaz de criar para te levar até ele. Fazer isso seria sabotar a si própria, girl. Agora você está em processo de recuperação, então NÃO PODE NEM MORTA fazer isso. Você precisa estar separada física e telepaticamente (vamos incluir espiritualmente também) de tudo aquilo que mantém sua mente focalizada nele. Ou então, veja a mesma situação por outro ângulo: você precisa sumir do mundo dele!

Vou te dar um exemplo de alguém que se parece muito com você neste momento: um dependente químico.

Note, vocês dois estão na luta para se desvincularem da droga que apareceu na vida de vocês em determinada altura do campeonato e a qual vocês dois acharam inicialmente que era uma coisa maravilhosa, mas agora sabem que não é.

Pois então, se um viciado que está em tratamento de recuperação ficar experimentando pequenas doses, por menores que sejam, ao longo do processo de cura, ele não vai se curar nunca. Porque estará sempre alimentando aquele vício e, portanto, não vai poder se limpar. E não há meio-termo para isso, girl. No caso dele (e no seu também) não adianta diminuir a dosagem até o dia de parar de vez. É história para boi dormir, é desculpa esfarrapada de quem está evitando fazer o que é necessário. É coisa de gente viciada que precisa de ajuda e que está iludindo somente a si próprio quanto ao fato de que pode parar na hora que quiser. Diga uma coisa para mim: você já viu alguma clínica de tratamento trabalhar vício administrando ou permitindo pequenas dosagens aos enfermos ou então administrar continuamente dosagens menores no decorrer do tempo até o dia em que não precise administrar droga nenhuma? Claaaro que NÃO!!!!! Porque isso não funciona!! Veja bem, há o tempo de abstinência, em que o usuário experimenta os seus piores momentos, e justo na fase inicial, onde ele parece estar mais frágil porque chegou à conclusão de que a droga o derrubou e ele não pode mais com a situação. E nessa hora a dependência não está só na veia, mas no corpo todo, na mente, no pulmão, em todas as suas células.

A mesma coisa acontece com você, girl. Você precisa entrar em abstinência a fim de se limpar. Precisa evitar ter perto de si o copo de uísque ou o papelote que invariavelmente irá te fazer retroceder em todo o processo. E você precisa ser forte a fim de evitar isso. Estou aqui para te ajudar, mas não posso te salvar sozinha, até porque a pessoa que mais vai te estender a mão nessa hora é você mesma, a sua própria consciência de que você precisa ser forte e fazer algo por si.

Então, vá lá agora, apague JÁ o número do telefone do cretino do seu aparelho celular. Mande-o para aquele espacinho a que se destina o número do que a gente não quer mais na vida da gente, para o arquivo lixo, e "até logo, nunca mais quero te ter por aqui, já vai tarde".

Delete o e-mail dele do seu computador. Se der, bloqueie no seu telefone chamadas originadas do aparelho dele. E não vem ao caso se ele mora com a mamy dele, e que ela é gente boa, e que pode ser que ela queira falar com você por estar com algum problema que só você poderia resolver, porque isso é tudo balela, é tudo mentirinha que você mesma está querendo inventar para você a fim de permitir que ele tenha alguma forma de entrar em contato com você, para quem sabe te pedir pelo *amor de Deus, perdão*, dizendo que errou, que quer se matar e blá, blá, blá – e não vem mais ao caso qualquer promessa dele. Porque: ELE TE TRAIU? PROBLEMA DELE!

E a mamy dele é mulher e vai saber entender muito bem isso.

Esqueça que existe Orkut, aquela b@%&# que inventaram e que dá direito aos outros de exibirem a forma como eles querem ser vistos publicamente e não como realmente são. Ah, que que é isso, girl?!! Você já viu um Orkut com a foto de alguém chorando, se descabelando e emagrecendo, com legenda explicando que isso está acontecendo por causa de um amor perdido? E ainda por cima com vídeos da pessoa nos momentos solitários e psicóticos, em que ela pega uma arma e pensa em apontar para a própria boca enquanto fuma um maço de Marlboro e bebe caninha 51? Eu nunca!!!

Mas estou careca de ver gente sorrindo, exibindo fotos de carros importados (que eles nunca viram na vida) com legendas como *Meu carro* e sempre abraçados a pessoas lindas, com legenda *Meus amigos*, enquanto a vida transcorre com um copo de Johnnie Walker, keep walking.

Desse jeito parece que o mundo todo é feliz!

Então, girl, pare de fuçar o Orkut ou o Facebook dele, porque isso vai te deixar cada vez mais doente, vendo a felicidade dele estampada, sendo ela real ou irreal, e que não nos interessa. Também está fora de cogitação essa dose de droga via internet. Se der, fique longe do Orkut, do Facebook, do Flickr ou outros do gênero até você estar de bem com a vida novamente e forte o suficiente para impedir a si própria de ir lá. Porque ninguém se cura fuçando Orkut do ex e relendo todos os recados que ele recebe para ver o que ele anda fazendo do seu tempo agora que você não está mais por perto. E não me venha com aquela piada de que você faz isso diariamente porque assim vai pegar raiva dele, porque a mim você não engana. Quanto mais você olhar o Orkut dele, mais ficará viciada em cuidar da vida dele, quando na verdade você tem uma mais importante pela qual zelar: A SUA!

E cada dia será como o de um alcoólatra: *estou limpa há "x" dias*. Até que fique mesmo. Com um diferencial: um dia você rirá do que aconteceu!

E entenda que será um passo de cada vez, um passo por dia, todos os dias. Só por hoje, só por mais hoje você não vai beber do copo da depressão. Só por hoje, só por mais hoje você vai ficar limpa da seringa da recaída. Você precisa se livrar dessa droga toda para viver... E você vai conseguir!

Sabe as coisas dele que ainda estão na sua casa, como fotos, casacos e CDs? Empacote. Mande alguma amiga entregar para ele, envie pelo correio ou simplesmente doe para quem precisa. Livre-se de tudo aquilo que é lembrança dele ou de vocês dois juntos. Mas não use essa caixa de lembranças como um motivo para se encontrar com ele, vê-lo e discutir novamente a traição. Se vocês foram casados e têm ainda bens a serem divididos, como casa, carro e terrenos, minha sugestão é a de que você contrate um advogado para cuidar disso, porque assim você conversará o menos possível com ele. Se você vai acabar gastando um pouquinho a mais? Sim, você vai ter de arcar com os custos do advogado, mas lembre-se, a sua paz não tem preço.

Se tem filhos, conscientize-se de que a conversa não deve se estender além do assunto *bem-estar dos nossos filhos*. Evite ao máximo saber ou especular qualquer coisa a respeito de como ele anda se sentindo e de como está sua nova vida. E o que aconteceu com você e ele não é assunto para ser tratado com seus filhos e nem mesmo na frente deles.

Ser amiga do idiota

Deixe eu te falar de outra coisa que **jamais** pode passar pela sua cabeça. Tentar ser ou aceitar ser amiga dele depois de terminar o relacionamento, ou ele terminar com você. NÃO! NÃO! NÃO! Eu disse NÃO! Isso está terminantemente proibido!!!

Olha, isso nunca dá certo... E no primeiro momento, então, é um desastre. Sim, há quem se separou e depois ficou amigo, depois de um bom tempo, vamos dizer. Mas essas pessoas se separaram civilizadamente, sem mágoas pesadas como aquelas relativas a traição. Separaram-se porque se conscientizaram de que o amor não era mais um laço forte a ponto de mantê-los juntos.

E sua tentativa de amizade nada mais é do que uma desculpa sua para manter contato, provavelmente porque mesmo traída, ferida, decepcionada, humilhada, amargurada, complexada e chocada, mesmo assim pode ser que você ainda o ame. E pode mesmo acontecer, de forma que não chega a ser algo tão surpreendente assim o fato de você querer se dar a desculpa de manter contato com ele, alegando que apesar de tudo resolveram ficar amigos, afinal são adultos, maduros e bem resolvidos. Querida, caia na real. Se você estivesse bem resolvida com essa situação toda, nem de perto pegaria este livro para ler. Ele é o cara que fez você se sentir péssima; agora me responda: esse imbecil serve para ser seu amigo? O que você vai fazer com ele? Confidenciar o quanto está ferida e arrasada por dentro? Você acha que ele vai passar a mão na sua cabeça dizendo: "O panaca que te traiu nunca te mereceu"?

O que você pretende fingindo que quer ser amiga dele?

Caia na real, ele é a última pessoa que você deve olhar nos olhos, principalmente durante o estágio de superação. E amigos talvez vocês possam ser daqui a muitas e muitas décadas, quando ambos já estiverem caducos, tenham perdido a faculdade mental e esquecido boa parte de tudo o que aconteceu. Aí eu até posso entender você perguntar a ele: "O que aconteceu com a gente? Por que mesmo não deu certo?".

Um dia, realmente você vai falar com ele diplomaticamente, de forma educada e sem sentir nada, mas existe uma grande diferença entre vocês conversarem civilizadamente e serem amigos.

Deixe eu te dar um conselho. Amigos são pessoas que nos querem bem, que fazem coisas legais para nós e que nos respeitam. Amigos são pessoas em quem podemos confiar e que estenderão a mão no momento em que estivermos caindo ou já no chão. E não alguém que nos joga no buraco, nos engana e faz coisas que nos desrespeitam. Ou seja, não existe nenhum motivo para você ser amiga dele. Há indivíduos que são tão carentes que preferem ter pessoas conhecidas à sua volta e estar rodeadas o tempo todo por elas, mesmo que não sejam tão confiáveis, a estarem sozinhos. E é exatamente isso que nas entrelinhas deste livro, e algumas vezes diretamente, irei tentar mostrar a você: a importância da seleção. Você precisa aprender a selecionar. Selecionar as pessoas com quem irá se relacionar. E isso inclui afastar-se daqueles que não servem para estar com você e também quem te traiu. Por que manter em seu círculo de relacionamentos alguém não confiável? Um homem sem palavra não serve para estar com você.

Exija um homem que esteja à altura de ficar com você. Se não vir motivos para fazer isso por si própria, então faça-o por todas as outras mulheres deste planeta, porque homens só tratam mulheres dessa forma porque existem aquelas que permitem que isso aconteça.

Recuperar o tempo "perdido" dos últimos anos em apenas 15 dias

Outra coisa que NEM MORTA você pode fazer é se aventurar pelos barzinhos da vida procurando sair a torto e a direito com uma infinidade de homens desconhecidos na tentativa de melhorar a sua autoestima. Convenhamos, existe uma grande diferença entre você dar a volta por cima e sair dando a torto e a direito.

Eu sei que lhe disse que você precisa sair, se divertir, conhecer novos lugares e novas pessoas. E sei também que uma boa transa só por uma boa transa também é algo que pode, sim, ser legal e que não vai te prejudicar em nada, desde que a sua intenção seja a de ainda se sentir desejável.

O que não pode acontecer é você sair desbaratinada à procura de homens, desconhecidos ou conhecidos, apenas para tapar o buraco do seu coração. Até mesmo porque nós duas sabemos que não é assim que o buraco vai ser tapado. Você há de convir comigo que dormir com o time inteiro de futebol é diferente de transar com o craque do time, não é mesmo? E que uma atitude assim promoverá dentro de você o aumento da sensação de que você é apenas mais uma mulher entre tantas outras que dormem com o time de futebol – quando o fato é que estou aqui me esforçando para lhe provar que VOCÊ É MUITO ESPECIAL!

Imagine você, com seus sentimentos fragilizados e em processo de recuperação, se envolver em um relacionamento conturbado, iniciando com uma das partes ainda não bem resolvida, ou então, o que é pior, não começando nada porque tudo não passa de uma transa pós-balada, fazendo com que você se sinta mais rejeitada ainda porque ninguém do time de futebol ligou para você no outro dia ou te levou para jantar, inclusive o craque. Sabe a que eu comparo essa atitude? À de alguém que está quase se curando de pneumonia e resolve sair no temporal novamente. Com certeza essa pessoa irá voltar para a cama e a recuperação irá ser mais demorada ainda e as doses de remédio terão de ser reforçadas.

Então, fica terminantemente proibido você sair fazendo sexo por aí com um e com outro durante o processo de recuperação, e por mais liberal que você já fosse antes, isso não pode acontecer. Uma relação sexual com um cara só para descontrair é diferente de uma relação com um cara qualquer e diferente todos os dias. Até porque, vamos ter bom senso, sexo é uma coisa íntima, e já que estamos querendo encontrar um relacionamento duradouro com um cara legal, teremos que ter atitudes que sejam condizentes com o que queremos. E não me diga que virei moralista da noite para o dia porque não tem nada a ver. Uma coisa era a minha profissão e outra coisa é a sua vida particular. Pelo que eu lembre, eu não estava escolhendo um marido para casar, meu objetivo era ganhar dinheiro. Não era nada pessoal, eram apenas negócios!

Virar Amy Winehouse

Não dá, girl, decididamente não funciona. Aliás, nunca funcionou. Emborcar litros de uísque, mamar vodca, comer maços de cigarro ou se empanturrar de drogas não vai fazer você superar a traição. Muito pior, sua autoestima vai buraco abaixo. E mesmo que você escreva letras de músicas lindíssimas sobre a sua dor, nem mesmo a grana dos royalties vai fazer você voltar a ser a grande mulher que é.

E você ainda corre o risco de perder os dentes, emagrecer e ficar com enfisema pulmonar enquanto sua conta bancária se enche de milhões, o que de nada adianta se você não puder aproveitar.

Isso também vale para comida e qualquer hábito que não for saudável, ou que for saudável porém compulsivo. Porque até mesmo comer alface freneticamente irá acabar levando você a se sentir mal consigo mesma e você irá se olhar no espelho dizendo: *Meu Deus, o que estou fazendo comigo?*

Incluo também rir demais na lista. Lembra da música do Frejat, inspirada no poema "Desejos" de Victor Hugo? "Desejo que você descubra que rir é bom, mas que rir de tudo é desespero".

Não perca o bom senso. Faça força, peça ajuda às amigas para que não te deixem beber demais, fumar demais, falar demais, cair na gandaia demais, patati-patatá... Não compre nenhuma dessas porcarias que te tirem a percepção da realidade (aproveite para comprar a blusinha da promoção, creme para o rosto e batom) e pare de fazer qualquer coisa que você esteja fazendo demais. Isso é sinal de perigo e que você precisa centrar-se mais. Lembre-se, tudo na vida é uma questão de equilíbrio.

Enlouquecer suas amigas com seu blablablá de uma história sem fim...

Neste exato momento encare suas amigas como sendo a coisa mais importante que você tem. Seu relacionamento com ele já está acabado, então não termine o seu com elas. O fato é que elas estão aí para te ajudar e não para que você as enlouqueça.

No início elas vão te ouvir e tenho certeza de que irão fazer isso com devoção, boa vontade e coração. Nessas horas sempre temos uma amiga para nos dar a mão (ou então um bando delas), emprestar um ombro (e só não emprestam os dois junto porque você só tem uma cabeça) e dois ouvidos para nos ouvirem. E é claro que elas estão de corpo e alma em um momento como esse, à sua disposição, para te ajudar. Mas não abuse. Nos primeiros tempos isso será considerado normal; por um ou até dois meses, no máximo, afogue suas dores no copo de solidariedade de sua amiga. É para isso que as amizades servem (não se esqueça de retribuir no dia em que uma delas precisar). Mas como tudo na vida, elas também têm limite. Só que o copo tem um limite e ele encherá no momento em que elas perceberem que você está obcecada pelo fato de ter sido traída e por tudo aquilo que cerca o seu ex e/ou a garota com quem ele saiu, e que não fala de outra coisa há meses.

Lembre-se sempre de algo: você deve falar **com elas** e não **para elas**. Ou seja, deve fazer trocas; uma fala e a outra ouve, aquela que ouviu processa, responde, enquanto a outra que falou antes agora ouve e também processa o que foi ouvido para, então, falar novamente. Procure ouvi-las e também saber como estão e o que lhes tem acontecido. Lembre-se de que a sua amiga tem uma vida própria, e que ela é alguém com necessidade de que alguém a ouça também, mesmo se sua vida nesse momento não apresenta um drama tão grande quanto o seu.

Há algo de muito importante em não ficar só falando e falando e falando... Você deve parar para ouvir coisas que só ela pode saber porque viu a história toda por um outro ângulo, o do observador. E o observador tem muito a acrescentar, porque dos três (você, ele e sua amiga), ele costuma ser o que está emocionalmente menos envolvido e, portanto, raciocinando com maior clareza. Isso significa que sua amiga é uma conselheira muito importante.

Você não pode procurá-la simplesmente com o objetivo de ter em quem descarregar uma história que já foi descarregada, começando todo o redemoinho novamente, desde quando você descobriu, por que ele fez aquilo com você e como ele é um sacana e blá, blá, blá, blá, blá... As pessoas se enchem. E com razão! Você precisa do apoio delas e não que elas fujam assim que te virem entrando pela porta.

Sabe qual é o bom de conversar com uma ótima amiga e de mantê-la por perto? É que ela nesse momento será fundamental–e eu chego até mesmo a dizer melhor do que o terapeuta que você contratou para te ajudar a superar a traição, porque além de não cobrar um centavo, não vai ficar te dizendo coisas do tipo: "Uhunnn... Uhunnn... sei... sei... E como você se sente em relação a isso?" (Eles fazem isso enquanto estão te conhecendo e ainda não sabem bem o que dizer... hehe.)

Quando você começar com aquela ladainha de que não entende por que ele te traiu, uma vez que vocês eram tão felizes e tinham um casamento perfeito, a ótima amiga irá se virar para você e dizer: "Acorda, sua tonta, ele saía para jogar futebol três vezes por semana e você ficava em casa sozinha, esqueceu?".

As amigas de certa forma vivenciam a relação junto conosco e, portanto, conseguem ter uma noção bem clara do que realmente acontecia naquela relação que você achava perfeita. Mas o mais incrível é que você passou a achá-la perfeita só depois da traição, antes não era tudo aquilo, não. É que a gente tem uma necessidade de florir as coisas nesse momento de um jeito inexplicável, que sei lá eu por quê, viu? Bem, mulher é um bicho louco, eu já falei... Já o terapeuta que você contratou pós-traição conhecerá a história segundo aquilo que você contar a ele. E quando não estamos bem emocionalmente, não vemos as coisas como de fato elas são. É claro que o psicólogo sabe disso. Só que o tempo que ele leva para poder concluir como as coisas realmente eram entre vocês dois é bem maior do que o da sua amiga, que já sabia como eram as coisas antes da traição. E você precisa que alguém te lembre que ele é um cachorro hoje e não daqui a um tempo. Se bem que o terapeuta nunca irá dizer que ele é um cachorro, mas falará: você precisa descobrir se aquela situação que você vivenciava era satisfatória ou não aos seus interesses pessoais e se ele estava de acordo com o que você esperava de um parceiro.

Sua melhor amiga te dirá e te lembrará todo dia que ele é um cachorro, um ser abominável, um imbecil, e isso faz um bem danado.

Veja bem, é muito bom ir a um terapeuta; eu fui por dois anos e sou muito grata a quem me ajudou, mas ótimas amigas são indispensáveis nesse momento, e se você tiver os dois ao mesmo tempo para te ajudar na sua recuperação, então sinta-se uma mulher afortunada, porque ela será muito mais rápida.

Você percebeu que está ficando paranoica a ponto de suas amigas sumirem? Procure ajuda profissional. Não tenha receio, não pense duas vezes. Uma terapeuta já salvou a minha vida!

Descontar o cheque sem fundos em outro banco

Não, NEM MORTA! Não dá para receber o cheque sem fundos de A e descontar a raiva em B. Cada homem é único, um ser independente e que, apesar de conviver com outros da mesma espécie, não necessariamente é igual a eles. Muitas mulheres traídas passam por momentos não só de revolta com aquele que as traiu, mas com todo e qualquer homem que se aproxime delas nesse período. Seu pai, seu chefe, o namorado da sua amiga, seu vizinho e o cara que lava seu carro não te traíram. Portanto, não os julgue e não os olhe ou trate como se eles fossem destruidores de sonhos. E mesmo que em algum momento você tenha sabido que algum deles já traiu sua namorada ou esposa, mantenha-se imparcial; isso é uma questão de bom senso, até mesmo porque você não pode sair pelo mundo afora revoltada com todo e qualquer homem. Você tem direito de ficar dessa forma com aquele que te traiu e no máximo com quem traiu sua melhor amiga ou alguém muito próximo a você e de quem você gostava muito. A exceção aqui fica para seu pai. Porque antes de ele ser casado com sua mãe ele é seu pai, e essa relação deve ser preservada.

Outra coisa que você não pode, NEM MORTA, é usar seus filhos (caso vocês tenham) para atingi-lo. Está fora de cogitação. As crianças nada têm a ver com a pulada de cerca dele, e embora tenha sido um péssimo marido, poderá ser um excelente pai. Nesse caso seus filhos vêm em primeiro lugar. Tenho certeza de que daqui a alguns anos você vai perceber que a melhor coisa foi tê-los deixado fora da guerra, até para que eles não absorvessem e manifestassem revolta contra o pai e carregassem isso como um trauma para o resto de suas vidas. Veja bem, essa é uma situação delicada para você que é adulta e já deve ter passado por situações bem difíceis na vida. Imagine, então, para seus filhos. Eles podem, sim, saber que vocês se separaram ou que estão passando por momentos difíceis, e que isso está sujeito a acontecer com quem se casa. Mas você não precisa deixar claro que foi porque o pai deles foi para a cama com outra.

Também não meta a mãe dele no meio da história, não ligue para ela entrando nos detalhes e envolvendo-a emocionalmente mais do que o necessário – isso se houver necessidade de você contar, caso vocês tenham uma forte ligação. Porque ela vai ser sempre mãe dele, e quer você goste, quer não, temos sempre a tendência a proteger nossa ninhada. E não deve ser um objetivo seu, em nenhum momento, que o mundo se volte contra ele. Isso é entre você e ele e não entre vocês e os outros habitantes do planeta.

Dar uma de tatu

NEM MORTA cavoucar, cavoucar, cavoucar, até encontrar todos os detalhes da traição e saber tudo, tintim por tintim: quando foi, a que horas foi, como se encontraram, com que roupa ela estava, o que conversaram, qual a posição que rolou, frases que foram ditas durante o ato, quanto tempo durou, o que ela achou, o que ele pensou, o que ele sentiu, o que ela sentiu, se se viram 19 vezes, se foram quatro vezes ou só uma, se saíram com seu carro ou se usaram o carro dela, se a calcinha dela era fio dental e se a cueca que ele usou era a que você deu de aniversário... Nada disso importa!!! Saber esses detalhes não leva a lugar algum e deve ser evitado, porque só serve para lhe causar mais dor, mais mágoa e dificultar a recuperação. Nada vai melhorar se você se ativer a essas informações, muito pelo contrário, isso serão apenas doses e mais doses de sofrimento que você mesma se aplica. Masoquismo puro, eu diria. Queremos que a tristeza vá embora e não que ela perdure em seu coração. Quando vierem te trazer informações tape seus ouvidos, diga que não quer saber. Quando te der aquela vontade de esmiuçar os fatos, pare na hora, procure outra coisa no que pensar e que fazer. E essa vontade irá vir, mas você precisa resistir, porque quer fugir do ciclo do sofrimento.

Aceite que muitas de suas perguntas ficarão sem respostas. São os porquês que ficam sem porquês... Melhor dizendo, são os porquês cujos porquês não devemos procurar.

Oh céus, oh vida cruel...

Tire do seu vocabulário a palavra *vítima*, não se veja dessa forma. NEM MORTA você pode se vitimizar e se tornar a atriz principal de um filme dramático de traição, dor e morte. Não tenha pena de si mesma, esse é um dos piores sentimentos que uma pessoa pode ter por si mesma. Quem se vitimiza fica à mercê dos fatos que vêm ao encontro de sua vida. Quem se vitimiza veste a capa da fatalidade. Uma pessoa que se impõe o papel de vítima não tem a menor chance de superar. Porque quem se vitimiza afirma para si própria que não é atuante na sua própria vida e espera que os acontecimentos venham, sem ter de assumir responsabilidade sobre nada que lhe acontece, incluindo o fato de ter de reagir. Quem dá uma de vítima acaba pondo a culpa nos outros pelo seu sofrimento. Uma vítima se entrega fácil, não reage e se acovarda perante a vida.

Ora, ora, as pessoas podem até nos aprontar umas e outras, mas somos nós que decidimos nos entregar ou não à situação. E você NEM MORTA vai ocupar esse lugar.

"Aqui Jaz Santa Traída. Amargurada, trocada e sucumbida."

Fique longe dessa ideia; quando você se pegar com pena de si própria, reaja, grite consigo mesma se preciso for, evite se deixar levar para dentro desse buraco e pense instantaneamente nas seguintes frases:

EXERCÍCIO 2

Toda vez que a lembrança dele aparecer na sua mente e que você estiver indo na direção do sentimento "saudades dele", você, automaticamente, começa a pensar em todas aquelas coisas irritantes que ele fazia quando estava com você e com as quais agora não vai mais precisar conviver.

Você tem permissão apenas para pensar no lado B dele, mas isso se não for por muito tempo. Porque a partir de hoje você não perde mais tempo com passado.

Embora eu não tenha culpa pelo que me aconteceu, nego-me a vestir o véu de vítima. Sou a única responsável pela minha superação e não vou perder meu tempo chorando por mim.

P.S.: nenhuma pessoa vitimizada por uma traição superou-a, deu a volta por cima e encontrou um novo amor durante o tempo em que se sentiu uma pobre coitada.

Help Vanessa: me bate que eu gosto!

Querida Van, você deve estar careca de saber que quem respondeu à entrevista sobre traição foi traída, então aqui estou eu, sou mais uma do imenso bando que deve ter te mandado confissões. Só que eu acho que a minha história é mais triste, eu pelo menos chorei mais com a minha do que com qualquer outra que eu soube. Sabe, é que sou muito chorona. Mas então, eu tinha um noivo e ele me traiu. Era uma pessoa maravilhosa, me traiu com a prima dele, que era outra maravilhosa, infelizmente, porque eu preferia ter sido traída por um homem com outro homem, pelo menos ia ter certeza de que o problema não era comigo. Eu os peguei aos beijos na garagem da tia dele, num churrasco de família, e naquela mesma hora surtei. Chorei muito, gritei e tentei bater nela, mas a parentada dela estava em maior quantidade e me impediu. Então eu peguei a minha aliança de noivado e joguei na chapa da picanha, ela bateu na gordurinha lateral e caiu no meio do carvão quente. Já era. Todos ficaram horrorizados; tive a impressão de que era mais pela aliança do que pelo incesto familiar (aliás, eu queria saber se é crime e se eles teriam filhos anormais por isso). Mas confesso que depois de algumas semanas me arrependi profundamente, eu devia ter conversado com eles, tentado resolver tudo na boa em vez de terminar com o churrasco em família e com a minha aliança. Tentei voltar, mas ele achou muito humilhante para ele o que eu fiz. Mandei muitos e-mails, telefonei e tentei salvar nosso futuro casamento. Mas não tinha jeito de ele me perdoar. Algumas vezes consegui dormir com ele, mas ele nem ao menos voltou a me tratar pelo pronome de tratamento namorada (sic). Apareci de surpresa em um dos churrascos em família que sempre aconteciam na casa da tia dele, inclusive cumprimentei sua prima e todos me olharam como se eu fosse a pior coisa, alguns eu via que sentiam pena de mim. Ele nem falava comigo durante o churrasco. Eu até fui mais simpática do que costumava ser, lavei toda a louça sozinha, servi a sobremesa, varri o chão e dei carona para a avó dele na saída. Mas tudo isso foi inútil, hoje ele nem atende mais meus telefonemas. Vanessa, eu choro muito, perdi o marido da minha vida e não sei mais como recuperá-lo.

Maria do Suplício

Ai, ai, ai... Girl, se ele fosse **o marido da sua vida**, jamais teria, em primeiro lugar, permitido que você se humilhasse tanto. E muito menos teria te transformado em um brinquedinho que ele usa de vez em quando para transar sem precisar ter o menor compromisso com você. E isso deve acontecer quando a prima dele não está disponível (por favor, não chore). O **marido da sua vida** não vai procurar nada na boca da prima com a própria língua e também não vai te trair sob a proteção da Família Soprano. O **marido da sua vida** vai te respeitar, te amar e fazer coisas para que você se sinta o melhor possível perto dele. O que você queria resolver na boa mesmo? Era o fato de eles estarem se beijando, né? Claro, você interromperia o beijo, pegaria três banquinhos, fariam todos um pequeno círculo e discutiriam a melhor forma de os dois entenderem que devem te respeitar e que você não pode ser feita de idiota, lembrando, é claro, que o casamento está por vir. Em vez de ver que o que eles fizeram é que era o verdadeiro problema, você acreditou que foi jogar a aliança na gordurinha da picanha... É pracabá!

Sabe, esse é um grande erro que muitas mulheres traídas cometem: depois de um tempo começam a achar que foram elas que fizeram alguma coisa de errado e então vão atrás para tentar consertar as coisas. Só que se humilhar, implorar para voltar e perdoar o cara nunca fez com que nenhum desses sujeitos passasse a respeitá-las. Se não tinham respeito antes, o que dirá depois que ela disser: "Sim, amor, pode me pisar que eu deixo". Muito pelo contrário, muitos só deram valor à mulher que perderam depois que elas próprias se deram o devido respeito, selecionando os homens que poderiam ter acesso à sua vida afetiva.

Se é crime? Não. Se vão ter filhos anormais? No que isso te interessa?

Confissão da Vanessa

Um dia eu fui traída e fiquei muito arrasada, decepcionada e tudo aquilo que você já sabe bem como é. Eu estava jogada na cama suja (eu, a cama até que estava mais ou menos), sem me alimentar, com uma caixa de bombom vazia de uma semana atrás jogada no canto da parede e quatro marmitas de dias atrás na cômoda ao meu lado, estava no escuro, sem me depilar havia uns vinte dias, sem banho havia pelo menos dois e muito triste enquanto pensava: por que de novo eu fui traída?

Aliás, essa pergunta que me fiz fez uma grande diferença no processo final da minha recuperação. Eu me dei conta de algo bem importante: o pai da minha filha (que havia me traído), o Fausto (que me traíra várias vezes) e o então namorado, com quem eu estava me recuperando da traição (a essa altura já era ex), eram no fundo todos iguais e tinham características muito parecidas.

Eu só pensava que eu não queria mais ser traída, que aquilo era muito ruim e que ter de sobreviver àqueles homens estava acabando com meus sonhos. "Mas por que de novo eu fui traída?"

E parece que nessa hora um clarão se fez à minha frente, e esse clarão estava acompanhado de uma voz que vinha de dentro de mim: *É porque você se permite relacionar-se sempre com os mesmos tipos de homem, aqueles que sempre traem.*

Não, não era nenhuma experiência espiritual, o Mestre dos Magos não apareceu para mim e nem um anjo com asas estava na minha frente. Era apenas a minha consciência falando e eu disposta a ouvi-la. E a voz tinha razão. Ou melhor, eu tinha razão. Se eu havia sido traída mais de uma vez, podia ser que eu tivesse alguma participação nisso. Talvez eu estivesse me permitindo ser traída. Sabe? Aquela coisa assim de proprietário de supermercado que não quer ser assaltado, mas que nunca tranca a porta quando chega a noite. Podia ser – ou melhor, era – que eu estava sempre escolhendo aqueles caras que tinham o perfil de quem traía e ficava na torcida de que eles não fizessem isso comigo.

Naquele momento de súbita iluminação eu disse a mim mesma: *Não vou mais permitir homens com essas características na minha vida, é muito melhor ficar sozinha do que com qualquer um deles. O padrão comportamental deles é de homens* inconfiáveis. Eu não quero mais me dar a chance de ser traída nem de ter ao meu lado pessoas em quem não confio.

Tomei essa decisão, levantei da cama, juntei as marmitinhas, me joguei no chuveiro, me depilei e fui dar um rumo na minha vida.

Foi quando eu me decidi a ser exigente, a selecionar e a ver com os olhos da realidade aqueles que se aproximavam de mim que eu fui começar a ser mais feliz. Caras como aqueles eu não me permitia e não permiti mais querer me envolver com eles. Veja bem, **eu não me permitia mais**. Não somos um carro desenfreado que corre na direção em que as emoções, as situações e os sentimentos nos levam. Somos motoristas que dirigem as emoções e que conduzem o carro por onde querem. Se tivermos consciência de que por onde estamos nos direcionando pode não ser uma boa estrada, então paramos o carro e cortamos qualquer ligação com aqueles que estamos vendo que não são adequados para nós no trilhar da nossa vida. E tudo isso, se for feito no início do caminho, será muito mais fácil.

E sabe o que foi mais legal depois do dia em que me comprometi comigo mesma? Eu comecei a me meter em bem, mas bem, mas bem menos roubadas. Comecei a sair com caras legais para jantar. Eu jantava com menos frequência, mas eram jantares que valiam muito mais a pena.

Reflita sobre isso. Será que os caras com quem você teve relacionamento e que te traíram não tinham o mesmo perfil? Será que não é você que anda dando brecha para que essas coisas aconteçam com você? Se a resposta for sim, hora de mudar e se comprometer mais com você mesma. Enfim, a regra da seleção vale para todos os setores da vida, mas principalmente para os do coração, que é onde os estragos costumam ser maiores quando não se faz uma boa seleção.

Sabe, uma vez, quando eu era garota de programa, atendi um cliente muito bonito. Eu me lembro bem da cena; eu tinha

Lista Alerta de Perigo

E para que você não tenha mais a desculpa de ter sido traída por não saber identificar os babacas, aqui está uma pequena lista de perfis e comportamentos de homens que traem. Espero que você não se faça de surda quando o alarme soar.

Não permita se envolver:

- SE ele traiu a última namorada e todas as outras. (Por que com você seria diferente?)
- SE todo mundo fala que ele é um galinha. (A voz do povo é a voz da razão.)
- SE ele vive em balada e de porre. (Ou seja, não sabe ao lado de quem acorda no outro dia.)
- SE ele chegou para você dizendo que foi amor à primeira vista e ligou depois de muitos dias para saber de quem era aquele telefone que ele encontrou no bolso da calça. (O cara canta a primeira que aparecer, essa é que é a verdade.)
- SE ele afirma: "Não existe homem fiel". (Esse morreu pela boca.)
- SE ele se diz MACHO, Homem com "H", um verdadeiro garanhão entre a mulherada. (Ele não faz nem a metade, mas dá uma escapulida mesmo sem dar conta do recado porque precisa provar para si algo que nunca conseguirá.)
- SE é um homem que diz "Eu juro que nunca traí mulher nenhuma" e nessa hora deixa cair uma lágrima do olho. (Esse tem culpa no cartório.)
- SE é um homem que tem o costume de acusar você de infiel ou que fica falando mal o tempo todo de quem trai. (Está tentando despistar.)
- Não se envolva com caras cuja vida social é muito mais importante do que a particular. (A base dele é suscetível de ruir e ele não vai resistir ao mundo das ilusões.)

chegado, sentado na cadeira do motel e estava tirando as minhas sandálias enquanto ele, nu e deitado na cama, me respondia às perguntas que eu ia fazendo aleatoriamente como introdução ao programa: *qual seu nome? Mora onde? No que trabalha?* Aquelas coisas de sempre, até que perguntei se ele tinha namorada. Sabe o que ele me respondeu?

"Tenho, sim, aliás, tenho três namoradas, e olha que as três moram na mesma cidade que eu."

Eu fiquei espantada e perguntei como ele fazia para não ter problemas com elas. Ele disse: "Nenhuma sabe da outra. Ah, eu não dou folga para elas, não deixo que vasculhem as minhas coisas, que me imponham qualquer regra; se eu quiser, vou para a balada e elas que aceitem. Nem deixo que mexam no meu celular. Eu dito as regras e todas elas obedecem. Elas são trouxas, as três se submetem a qualquer coisa para ficar comigo. Elas não se dão o respeito, e eu é que vou respeitá-las?".

Nota importante:

Tenho que te dizer algo, girl: a base que sustenta o casamento não é beleza, não é simpatia nem dinheiro. E, ao contrário do que todo mundo pensa, também não é o amor. A base que sustenta o casamento é a amizade. Onde não há confiança não há amizade verdadeira, logo não há casamento no sentido CASAMENTO.

Casamento ou relacionamento em que não há amizade sincera é apenas uma ligação de duas pessoas que desejam companhia ou troca de algum benefício mútuo.

Veja bem, não estou aqui condenando o que cada um quer ter, nem querendo dizer que estão errados aqueles que se mantêm juntos apenas porque querem companhia. Será tido como ideal para sua própria vida aquilo que você determina que quer para si.

Há pessoas cujo objetivo de vida não é encontrar e viver um grande amor, e, para essas pessoas, não ter um casamento no sentido da sua essência ou ter uma relação por conveniência, comodidade e companhia pode ser algo que as realize e pronto, para essas pessoas está tudo bem assim.

Veja bem, para mim não serve, mas para outros serve. Você precisa saber o que quer da sua vida e o que para você é fundamental. Quer viver um CASAMENTO e um RELACIONAMENTO digno de tudo aquilo que você sempre sonhou?

Se a resposta for sim, então tenha como uma das bases o fato de você e ele serem os melhores amigos um do outro. Podem, sim, ser melhores amigos e melhores amantes. As pessoas erroneamente pensam que não há espaço para os dois sentimentos. Mas como dormir com alguém em quem você não possa confidenciar seus temores, suas fraquezas? Como conseguir viver em plena paz se você tem de fingir ser algo que não é ficar fazendo jogos para manter o outro? Como não fazer confidências e ainda por cima ter medo de ser traída por quem é seu melhor amigo?

Traição é algo inaceitável para aqueles que desejam viver as palavras CASAMENTO e RELACIONAMENTO na plenitude da sua essência. E eu acredito que se você está aqui comigo é porque se importa com esse setor da sua vida e quer superar o que te aconteceu para ir em busca de alguém que represente aquilo que você quer e merece ter.

E aí, girl, você vai ser uma dessas mulheres que se submetem a qualquer coisa só para ficar com um homem? Ou vai selecionar o tipo de relação que a partir de hoje irá ter? Sabe, respeitar alguém que exige respeito de nós não é algo tão difícil. Admiráveis eu acho aquelas pessoas que respeitam as outras, mesmo quando estas não se dão o respeito ou ainda não se impuseram. Comece a perceber, valorizar e admirar homens que te respeitam antes de você exigir isso deles.

Um homem que te dá satisfação sobre o que ele pensa em fazer da sua vida, aonde gostaria de ir e com quem vai é alguém que está dividindo com você parte dele. Um homem que te convida para ir junto e que pergunta se essa seria também a sua vontade é um homem que está disposto a dividir uma vida com você.

Um homem que não te dá satisfação sobre o que faz é um homem que não tem planos com você, que está apenas passando um momento e com quem você terá desilusões se o vir de uma forma romanceada. Porque um homem que não faz planos com você está, na verdade, com o espaço aberto em sua vida para receber outra, com quem ele irá fazer planos.

Relacionamentos não são investimentos, em que você fica lá, aplicando na bolsa de caráter para um dia colher os frutos. Em relacionamentos não se arrisca. Porque quando a bolsa quebra o seu coração quebra junto. E corações são coisas muito delicadas para termos de ficar reconstituindo o tempo todo. Então, faça escolhas certas.

E vou te deixar uma dica bem básica aqui para começar a selecionar os homens com quem você se relacionará a partir de agora. Lembre-se: você só deve se relacionar com homens que cumprem o que dizem, por menor que seja a promessa, como por exemplo combinar e sair na terça-feira com você. Se ele não tem palavra, não espere mais nada dele no que diz respeito a ter consideração com você e assumir responsabilidades. Se o menor dos tijolos ele não conseguiu assentar, então com certeza todo o resto da casa que forma o relacionamento de vocês será precário.

> Help Vanessa: noivo superbom? Arrã, sei...
>
> *Fui traída e agora não sei o que fazer. Meu noivo era um supernoivo. Um cara bom, sabe, Vanessa. Tá certo que as coisas não eram as mil maravilhas, ele não me levava para jantar porque estava sempre cansado (ele é superocupado e tem um cargo importante), mas sempre estava disposto para o futebol, e também tinha o péssimo hábito de gritar comigo na frente de outras pessoas e muitas vezes queria sexo quando eu não queria, se bem que eu fazia e tudo ficava certo entre a gente. Mas tirando isso, de resto ele era um cara bom, daqueles que a maioria das mulheres quer ter do seu lado, lindo. Às vezes acho que meu noivado foi pro pau de tanto olho gordo das outras mulheres. Eu perdi um ótimo noivo, onde vou encontrar um cara bom como ele, que tenha aquele corpo sarado e esteja muito bem empregado em uma multinacional? Me dá uma luz, estou pensando em perdoá-lo.*
>
> *Maria Zicada*
>
> Cara bom... Você disse cara bom? Ora, BOM é aquele cara que quer estar com você sempre que pode. BOM é aquele cara que te acha linda, que faz você se sentir supersexy, que te respeita e que te leva para jantar. CARA BOM é aquele que se preocupa com o que você sente,

com o que você pensa e que não quer sob hipótese alguma fazer coisas que podem te decepcionar e te deixar triste.

O cara que você tem que considerar bom não é aquele que é supermusculoso, que é rico, que é superpopular, que é superocupado, que é superativo sexualmente e superpegador. Esses caras não são bons, esses caras são tidos como bons. E só o que você precisa para deixar de vê-los como bons é olhá-los com um pouco mais de atenção e ver que eles estão sempre de olho no próprio umbigo e que o músculo deles, a fama deles, o hobby deles, o ego deles e por fim o pau deles estarão sempre em primeiro plano e bem acima de você.

Olha, a maioria das mulheres infelizmente é cega e tem o costume de eleger péssimos ídolos, portanto não caia na delas. Os mais desejados não necessariamente são os melhores. Faça o seguinte, acabe com essa zica toda e escolha um cara que não seja super só por fora, mas que seja super por dentro, ok?

Não aceite nunca receber de um homem menos do que você merece!

Um cara legal irá fazer com que você se sinta especial e importante na vida dele. Um cara legal vai fazer questão de mostrar que você é a única relação dele e de te deixar tranquila no que diz respeito à confiança nele. Um cara legal e que te ama se importa com o que você pensa. O que ele quer é te fazer se sentir muito melhor e não te causar situações que te levem ao declínio emocional e à frustração amorosa. Um cara que te merece não é um cara egoísta obcecado pela satisfação do pinto e do ego dele. Um cara nota 10 preservará você!

Nota importante:

Eu espero de verdade que você use a Lista de Alerta de Perigo, porque eu não tenho como estar ao seu lado para te defender de todos aqueles que são homens considerados indesejáveis; o que eu posso fazer é descrever as cenas que você jamais verá acontecer na sua vida quando estiver com um homem fiel. Você jamais se pegará discutindo com ele sobre uma mensagem de texto enviada para uma mulher desconhecida às 3 horas da manhã. Você nunca receberá uma ligação com uma voz sexy de alguma mulher perguntando se o seu marido está em casa e chamando-o pelo seu apelido íntimo. Você never, never, never saberá que ele saiu para curtir uma balada sem você enquanto te deixava em casa, você nunca ligará para ele de 15 em 15 minutos para saber o que ele está fazendo, onde ele está e com quem está. Tudo isso porque você estará ocupada demais sendo amada e adorada pelo seu homem fiel.

Lembre-se de que quando você conhecer o cara certo, nada será complicado, tudo será simples e sem dor. Nada será obscuro, nebuloso e indefinido, e muito menos a ausência dele por algum dia lhe causará nervosismo e insegurança, será apenas saudade. O cara certo é uma coisa agradável e irá acontecer de forma natural. O cara certo não estará com você naqueles infindáveis vaivéns de relacionamentos que acabam e recomeçam, que parece que engrenam e do nada desengrenam, tampouco você se verá naquela história de fica um pouco comigo e um pouco com outra para ver de quem ele gosta mais, enquanto você fica à espreita torcendo para ser a escolhida. O cara certo vai te olhar, te gostar, te querer e te respeitar. Bem assim, simples assim mesmo.

CORNA MANSA
(Ele te trai escondidinho, você sabe e ainda está com ele)

Então, girl, sinto muito em te dizer, mas nesse caso a culpa não é dele. **A CULPA É SUA!**
Se você sabe que ele te traiu, que ainda te trai, com uma ou com várias, que seja. Se você está aí, acomodadinha (e por que não dizer afundadinha) nesse relacionamento, chorando as pitangas, viciada no papel de vítima e depressiva, pode ter certeza de que **a culpa é sua!**
Você está por dentro da situação, sabe que o rolo compressor vai passar por cima de você (ou está passando nesse exato momento) e fica aí, deitada no meio da avenida, com os braços e as pernas bem estendidos, como se não quisesse perder a menor oportunidade de ser amassada.
Girl... você é masoquista? Está desenvolvendo novas técnicas de puro sofrimento? E ainda por cima daquelas que doem bastante e que demoram mais para cicatrizar? Só pode. Porque a sua inovação é a prova completa de que você mesma está aniquilando o seu amor-próprio, a sua dignidade e a sanidade.
Pior do que ter sido traída e ter de se recuperar é estar sendo traída e não ter coragem de deixar de ser.
Acho que a primeira pergunta que preciso te fazer é: o que te leva ainda a estar nessa relação?

Vamos, me responda! Melhor dizendo, responda a você própria! Sabe, quando estamos em uma relação, isso acontece porque há um ganho. Mesmo quando as pessoas não se dão bem nem em 50% da relação, mesmo assim muitas vezes elas continuam juntas. Isso porque algo elas recebem. Pode ser status, segurança financeira, segurança física, sexo, sei lá, qualquer coisa aí que você pensar. E as pessoas se separam em duas situações: quando elas não veem absolutamente mais nenhum ganho (e nessa hora é mais fácil de se separar) ou então quando a balança entre receber e dar tem uma disparidade muito grande e a pessoa percebe que está no prejuízo. E a pergunta é exatamente essa, girl: como anda a sua balança?

Porque eu tenho certeza absoluta de que ela está no negativo. E sabe por que tenho certeza disso? Porque não há nada que você possa ganhar da outra pessoa que vá contrabalançar o fato de estar sendo desrespeitada e humilhada.

Olha, às vezes você se casa com um chato de galocha, sabe? Um cara que nunca te leva para jantar fora, no entanto, ele não te impede de sair para jantar com as suas amigas. Ou você pode ser casada com um pão-duro, só que você ganha bem e portanto isso não chega a te prejudicar.

Isso é um exemplo de balança equilibrada; você não está ganhando todas, as coisas não saíram 100% como você queria ou como você merece, mas não está perdendo tanto, entende? O cara é chato, é pão-duro, mas você se ama e ele não está te desrespeitando nem te humilhando. Deus que me perdoe, não entenda que eu acho que deva haver comodismo e nem que você tem de sair por aí chutando todo aquele relacionamento que não te oferece 100% do que você quer, porque aqui a gente é terráquea, tá? Nada de utopias e muito menos de conformismo. É que cada caso é um caso, exceto quando há desrespeito, e aí é regra: **não serve para você**. E traição é um caso sério de desrespeito e humilhação.

E por que você está permitindo isso acontecer?

Se o seu relacionamento está passando por uma traição e vocês continuam juntos, o que vocês têm não é mais um relacionamento e sim um pacto de convivência. E por incrível que pareça, você está vivendo aquele círculo vicioso que nos faz dar justificativas a nós mesmos para não termos de experimentar a separação e continuarmos convivendo na comodidade, mesmo que ela tenha virado um inferno. E são vários os motivos que você acaba dando para si mesma para o fato de não reagir. Não quer passar o Natal sozinha, não quer deixar de andar de carro, não consegue se imaginar sendo substituída por outra (embora na prática você já esteja, só que não caiu na real ainda). Uma amiga minha teve a cara de pau de me dizer que não se separava porque se sentia segura ao lado dele. Não sei nem como, porque era ela que sustentava a casa. Mas, enfim, as pessoas ficam se enchendo de justificativas para fugir do *grand finale*.

Portanto, encare a verdade. Um cara que não faz questão nem de esconder a traição é alguém que não se importa nem um pouco se irá decepcionar você. E por que estar com um cara desses? Se você vive numa relação a três sem sua autorização, seu relacionamento inevitavelmente chegou ao fim, ou então, amenizando um pouquinho, chegou ao início do fim. E protelar esse fim com justificativas é apenas perda de tempo. E pior, esse é um tempo que poderia estar sendo usado para a sua superação e quem sabe um tempo de já estar em braços de outro, aquele que condiz com aquilo que você espera de um homem.

Pra que evitar o inevitável?

Help Vanessa: caso comum

Vanessa, sou bem casada, tenho três filhos, um marido que me ama, temos uma vida estável financeiramente e amigos em comum, uma vida perfeita. Porém, descobri no ano passado que meu marido tem uma amante e que eles vão inclusive a festas sociais juntos e que todos os meus amigos sabem. Brigamos muito e eu ameacei de me separar, ele prometeu abandoná-la, mas descobri que ainda continuam se encontrando. O que eu faço?

Maria Cheia de Graça

Muito bem, sra. Contradição, segundo Jack Estripador eu diria "vamos por partes": tem certeza de que você é bem casada? Porque se fosse não estaria sendo traída. Veja bem, um marido legal não tem amante. Outra coisa, você pode repetir, por favor, porque acho que não devo ter entendido muito bem: você disse que ele te ama, certo? Linda, se ele te amasse não estaria há mais de um ano com a outra. Concorda comigo? Eles vão a festas sociais juntos? E o que você fica fazendo enquanto isso? Fica em casa? Sinto muito te dizer, mas não eram seus amigos que sabiam do caso, mas sim seus conhecidos e quem sabe até seus inimigos, porque se você tivesse amigos que soubessem do caso extraconjugal do seu marido, com certeza eles já teriam te contado há muito tempo.

Você está longe da vida perfeita que diz ter, sinto muito. Seu marido mente, seus amigos te escondem a verdade e você conseguiu iludir a si própria. Acho que se você uma vez já ameaçou se separar dele, não será a segunda ameaça que irá fazer algo mudar. Nem será ficando em casa e casada, enquanto ele continua a vida perfeita dele (porque pode acreditar numa coisa: ele, sim, está com a vida perfeita, como ele realmente quer), que irá fazer as coisas mudarem. Eu, no seu lugar, não estaria mais casada há muito tempo. A chance de você ter a vida perfeita que diz hoje ter só será possível com outra pessoa, com outros amigos e sem uma segunda mulher. Você tem três saídas: continua se iludindo, corta os pulsos ou então se separa e vai em busca do que acredita merecer.

Você deve ter percebido neste livro que praticamente não dei ênfase a superar a traição dentro de um casamento que se perpetua, ou seja, quando a mulher ainda pensa em continuar casada com o marido e passar por cima da traição, na espera lancinante por aquele dia maravilhoso em que ela vai perceber finalmente que aquela mentira, humilhação e falta de confiança não têm mais a menor importância para ela e no seu casamento.

Sinto muito, não me vejo em condições de ajudar essas mulheres. Estou sendo sincera, não tenho muito que lhes dizer; eu me separei de todos aqueles que um dia me traíram e tenho certeza de que fiz a melhor coisa. Eu já perdoei, sim, traição; em um dos meus relacionamentos fui traída mais de uma vez, mas minha vida virou um inferno psicológico e não demorou muito para que eu me conscientizasse de que não valeria a pena ir à luta para ter paz, porque a confiança havia sido perdida. Não sou o tipo de mulher rancorosa. Aliás, eu até esqueço muito fácil o que me fizeram, tanto que não tenho raiva de nenhum deles, na verdade acabei esquecendo até da existência deles no meu dia a dia, justamente porque são tão pequenos e ainda tenho tantas coisas lindas para viver pela frente que perder tempo com ninharias não é algo de que me dou ao luxo. Vou confessar para você que houve situações na minha lembrança, enquanto eu escrevia este livro, que nem eu acreditei que vivi e que nem parecia que havia sido comigo, tamanho foi meu desligamento do fato e do passado. Não estou fazendo tipo, é de verdade que falo isso. E se aconteceu comigo e eu pude superar, **você também pode**.

Mas como não superei estando casada e também não

conheci ninguém que conseguiu recuperar 100% a confiança e voltar às coisas como se nada tivesse acontecido, não posso dar conselhos e nem dizer como é essa experiência.

Por favor, mesmo que você ainda esteja casada com ele, leia este livro até o fim, assim você terá parâmetros para decidir o que é melhor na sua vida. Você pode ir a um terapeuta e ver o que ele te diz a respeito, pode comprar outros livros, ler matérias na internet, sei lá, mas como superar a traição e ainda continuar casada com ele é uma coisa que não sei ensinar.

Eu não estou querendo ensinar intolerância, estou querendo ensinar seletividade. Até mesmo porque intolerantes as pessoas já são, elas não toleram a opção sexual do vizinho, não toleram a escolha religiosa do colega de trabalho, não toleram as roupas do parente que vive com elas e nem os hábitos dos próprios irmãos (alguns realmente são deploráveis, claro), mas é incoerente serem tão intolerantes com as coisas mundanas e tão tolerantes quando o assunto é o respeito por elas próprias.

Por que as mulheres permitem tanto que os homens as desrespeitem?

No dia em que eu exigi que eles me respeitassem, tudo na minha vida mudou. TUDO; eu até consegui comprar lugares melhores no teatro. Vê se pode! E tem tudo a ver, SIM, porque no dia em que eu passei a selecionar o que chegava até mim, começando pelas coisas mais próximas, e que eu me disse que eu era merecedora de bons lugares e homens maravilhosos, as coisas começaram a fluir diferente ao meu redor, de maneira dinâmica. E olha que eu nem precisei pagar mais caro pela poltrona, mas soube identificar as mais em conta e que tinham uma visão melhor do palco, entre tantas outras cadeiras que lá estavam.

Sabe, não posso dizer para você que nunca houve caso em que o marido traiu a esposa, se arrependeu profundamente e nunca mais o fez. Tampouco posso dizer a você que jamais sobre a face da terra mulher alguma conseguiu perdoar e levar a relação adiante como se nada houvesse acontecido. Também acredito mesmo que, entre milhões de homens, algum possa ter traído uma única vez, ter sido perdoado e nunca mais ter voltado a trair... Mas, sinceramente, esses casos são tão, mas tão, mas tão raros que por esse motivo estou lhe pedindo para não se agarrar à possibilidade remota de isso acontecer com você. E eu penso que em uma vida toda de casado, um bom marido que um dia se deixou levar pela "carne fraca" e dormiu com outra mulher, uma única vez numa relação toda, sem sentimento algum (uma questão só de sexo, sabe?), não pode receber uma punição tão grande assim, afinal, são anos de união contra uma pisada na bola. Eu seria muito radical se dissesse que um homem assim é um verdadeiro canalha. Mas a questão é sabe o quê? Na imensa maioria das vezes a história não é essa: a de uma única pulada de cerca de um bom marido que pisou na bola. Na imensa maioria das vezes a história é: puladas consecutivas de cerca de homens medianos e/ou medíocres que desrespeitam as mulheres devido ao seu puro individualismo e tomam delas coisas preciosas como seu tempo, sua energia, seu amor e suas oportunidades de estar com outros homens que as fariam muito mais felizes.

 Pare e pense agora no seu relacionamento, mas pense nele com sinceridade e com imparcialidade: que tipo de homem ele é? Ele te apoia e te incentiva a crescer, se mostra imparcial em relação à sua vida ou te subestima? Ele te ajuda ou ele atrapalha a sua vida? Você teve ganhos ou perdas emocionais com ele nos últimos tempos? Você sente que se tornou uma mulher melhor ou tem a impressão de que coisas muito melhores teriam acontecido a você se não tivesse se envolvido com ele? Quantas vezes você chorou e quantas vezes você sorriu desde que o conhece? Qual destes sentimentos você experimenta mais desde que estão juntos: paz ou insegurança?

 Respondendo a essas perguntas você vai saber qual das duas histórias você vive. E aí vai entender por que estou usando de tanta "radicalidade". Infelizmente a regra é a pior história entre as duas. E as mulheres, no meio da sua tristeza e ínfima esperança, tendem a se agarrar à possibilidade de serem parte de uma das histórias da exceção, só que essa corda dificilmente é a da salvação...

QUANDO ELE TRAI NA CARA DURA
(À luz do dia e bem embaixo do seu nariz)

Só tem uma explicação, e ela é básica: o seu relacionamento já acabou. Só que provavelmente vocês ainda não haviam conversado sobre isso.

É triste, mas é verdade. Muitos homens evitam terminar às claras um relacionamento com as mulheres, isso porque eles têm medo de lidar com a situação. São uns inseguros, no final das contas (eu sempre disse que, no fundo, homem tem medo de mulher), e querem evitar ao máximo a possibilidade de ver a mulher chorando na frente deles ou pelos cantos, isso quando ela não sai por aí torrando o filme do sujeito com as outras garotas, o que para ele é um fator complicador e tanto.

Os homens não têm coragem para encarar um confronto com a verdade. Nós temos (quem é mesmo o sexo forte?).

Porque, por mais cafajeste que um homem seja, ele não vai assumir isso nunca, e também deseja que nenhuma mulher saiba. Então, é melhor (na cabeça dos babacas, claro) ir deixando o barco correr e, o que é

> *Descoberta impressionante:*
>
> - A maioria das mulheres traídas entrevistadas já esperava que fosse traída pelos caras com quem estava se relacionando.
> - A maioria delas já sabia inclusive como ia arrebentar o cara assim que descobrisse a traição.
> - Todas chamaram esse aviso prévio de intuição feminina.

pior ainda, à deriva, com o relacionamento indo mal de vento em popa, para ver se ela se habilita à missão de finalizar tudo com ele. Pôncio Pilatos lavando as mãos. Porque assim é mais fácil para ele. Não sairá sendo malfalado, não ouvirá xingos nem lágrimas e poderá perfeitamente assumir o papel de vítima e ganhar as condolências porque, afinal, ela o deixou sem argumentar como ambos iriam salvar o casamento.

Se um cara trai na cara dura mesmo, pode crer, ele quer mais é que se dane o relacionamento de vocês dois, essa é que é a verdade.

Help Vanessa: sem palavras!

Vanessa, moro com meu namorado há alguns meses e ele acabou de sair com outra garota. Eu estou agora aqui, no apartamento, chorando, e não sei o que fazer, então resolvi te escrever. Estou sempre sabendo de alguma menina e parece que ele não faz questão de esconder. Algumas ligam no telefone residencial e conversam com ele, isso quando não sou eu mesma que atendo e passo a ligação para ele. Esses dias briguei com uma no telefone e ela me chamou de louca. Mas pior é quando ele liga para elas aqui de casa, e isso porque dividimos as contas do telefone. E agora, Van, o que eu faço?

Mary Crazy

Querida louca, o que você ainda faz por aí?

QUANDO ELE NÃO SE ARREPENDE DO QUE FEZ E VOCÊ SENTE QUE PRECISA DO SANGUE DELE...

Se ele não se arrepende do que fez, e não dá a menor prova disso através de pedidos de desculpas ínfimos, súplicas e choradeiras, então é porque ele não era o cara certo para você. Se o cara nem se deu ao trabalho de ir atrás de você, nem que fosse uma vez, então sinto muito, é porque ele não gostava realmente nem um pouquinho de você.

Olha, nem fique triste, o cara certo para você, para começo de conversa, não iria te trair, e se chegou a ponto de fazer isso e ainda por cima não se pendurou com uma corda pelo pescoço quando te perdeu, então é porque ele não sabe o valor que você tem e pensa que você não fará diferença nenhuma na vida dele. E para o cara certo, você faz, E MUITA, diferença na sua vida.

Olha, você agora pode estar se perguntando sobre o fato de haver homens com personalidade muito forte a ponto de não darem o braço a torcer e que mesmo arrependidíssimos jamais rastejariam, certo? Mas o que eu tenho para te dizer é o seguinte: até caras durões (e eu digo durões mesmo), quando amam uma mulher, fazem coisas que extrapolam totalmente o cérebro deles e aquilo que determinaram como limite de até onde se pode ir por uma mulher. E quando falamos de amor, não interessa se o cara é do signo de leão (orgulho), se ele é de nacionalidade irlandesa (frio), se ocupa cargo no alto escalão (presidente) – ele vai realmente fugir aos padrões comportamentais se vir que está perdendo **o amor da vida dele**. Claro que se você for esse grande amor, se ele tiver consciência do que realmente é o sentimento amor e se ele for um cara legal, ele NUNCA vai te trair.

Já soube de caras durões que, quando a namorada surtou e resolveu ir embora da cidade, eles largaram tudo e foram atrás dela. Sabe por quê? Porque eles a amavam.

E você só merece estar com caras que te amem, isso é uma questão de princípio. E não me venha com aquele papo de aceitar um cara qualquer só para passar o tempo. Esteja com alguém que realmente quer estar com você e não só para ambos matarem o tempo enquanto cada um não encontra a pessoa certa, porque assim vocês vão acabar se matando (no sentido de estarem desperdiçando tempo com quem não é a pessoa certa, embora alguns se matem literalmente). Fazendo o contrário, você deixará a vaga livre para outro estacionar.

E você fica agora aí, imaginando a cena dos seus sonhos nesse momento: *o inútil rasteja atrás de você ou então se ajoelha na sua frente chorando e implorando uma chance (quem sabe até mesmo uma migalha do seu olhar) enquanto você passa por cima dele como se não o visse e vai ao encontro do seu novo amor, que, aliás, é dez vezes melhor do que ele, e ele fica lá, arrasado e entregue à sarjeta.* Quanto a esse desejo seu, te digo: apague esse filme da sua cabeça. Exceto a parte em que você encontra um amor dez vezes melhor do que ele. Esse filme em que ele rasteja enquanto você o esnoba pode até acontecer (e, falando sério, todas nós adoraríamos assistir), mas de verdade não desejo que você viva seus dias esperando por esse momento. E também desejo que o dia em que isso acontecer (e muitas vezes acontece) seja quando você não estará na plateia para assisti-lo te ver ser feliz com outro, porque você estará ocupada demais representando a cena em que você e seu amor vivem felizes e são a única coisa que importa nesse filme.

Eu preciso que você não confunda Ego e Amor. E embora sejam duas coisas completamente diferentes, a maioria das pessoas não sabe distinguir na prática quando se fala de um e outro. Da mesma forma como a maioria confunde casamento com posse.

A pergunta é: você está com o seu ego ferido ou com seu amor-próprio ferido?

Sabe como você faz para descobrir? Se a sua vontade é encontrar alguma maneira de se vingar dele para poder parar de sofrer, então te digo que você está com seu ego ferido. E o ego aqui está relacionado com o sentimento de estar acima de outros ou abaixo deles. O ego diz respeito a você em relação ao mundo. Bem, uma vingança pode, na sua concepção, curar seu ego rebaixado, mas de verdade isso não fará você se sentir melhor, talvez por um tempinho só, que é na hora que você dá aquela boa risada.

Agora, se a sua vontade é a de encontrar alguma maneira de superar e voltar a se sentir bem novamente na vida, então o que você tem é amor-próprio ferido. E amor-próprio não está relacionado com sentimentos de estar rebaixado ou não em relação aos outros. Amor-próprio diz respeito à sua relação com você mesma. Quem está com amor-próprio ferido e tem consciência disso vai procurar fazer coisas para melhorá-lo, e você deve saber que se seu amor-próprio estiver ferido, não precisará se vingar para sorrir novamente. O fato de o outro se dar mal não fará você encontrar um novo amor, ter mais alegria de viver, nem vai fazer você se sentir mais bonita e uma pessoa melhor por causa disso.

Eu não gostaria de saber que você emagreceu, cortou seu cabelo, se inscreveu em um curso interessante ou que renovou seu guarda-roupa inteiro só na esperança de que ele olhe para você e pense: "Que droga, ela está maravilhosa, por que perdi essa mulher?". Até porque ele pode pensar, mas jamais demonstrar, e você ficará à espera de um prêmio que pode ser que não venha.

Portanto, faça a transformação na sua vida por quem irá sempre reconhecer o seu valor e sorrir embasbacado com o fato de você ter superado todas as expectativas: VOCÊ PRÓPRIA.

Simpatia para superar a traição

Você vai precisar de:
- uma cueca do traidor
- uma foto dele
- uma rosa branca
- uma vela amarela
- uma vela cor-de-rosa
- uma vela branca
- dois rabos de gato
- um espelho
- duas taças de champanhe
- uma garrafa de champanhe (de boa qualidade)

Modo de fazer:
Você deverá fazer essa simpatia em uma noite de lua cheia. Primeiro reze um pai-nosso e uma ave-maria. Agora acenda a vela amarela, a vela rosa e a vela branca, nessa ordem. A amarela você acende e pede a quem você acredita, seja lá quem for, para ter muito dinheiro para poder gastar no shopping, com a vela rosa você pede que te ajude a encontrar um novo amor, e com a branca você reza para haver paz no mundo. Enquanto o mundo divino providencia seus três desejos, vamos ao que interessa: encha até o gargalo as duas taças de champanhe e ligue para sua melhor amiga. Você irá brindar com ela o fato de estar se propondo a superar muito bem essa fase. Bebam quanto quiserem, entre boas risadas e lembranças de como a amizade de vocês foi e é importante uma para a outra. Depois pegue o espelho e veja a linda mulher que você é (essa parte pode ser antes de você terminar de encher a cara, pra não parecer que você só acha isso porque está bebum). Aí você pega a foto do ex e joga na privada, enquanto sua amiga lança no lixo aquela cueca imunda. Dê a rosa para sua amiga de presente, ela merece. E quanto aos dois rabos de gato? Ah, deixa os gatos de fora que eles não têm nada a ver com essa história...

Help Vanessa: não se iluda

Van, descobri que meu namorado estava me traindo com uma colega de trabalho há dois meses, abri sua caixa de correio do Outlook e lá havia várias mensagens que eles ainda trocavam entre si. Cobrei dele a verdade e ele não negou. Por fim, xinguei-o e disse que estava tudo terminado entre nós, só que nunca mais o vi, ele não me procurou e nem me ligou. Achei sinceramente que ele iria ficar correndo atrás de mim, arrependido e pedindo para voltar. Inclusive nos primeiros dias eu o imaginava tentando se matar por ter me perdido. Depois confesso que tive vontade de me matar por não vê-lo arrependido correndo atrás de mim. Estou muito triste porque ainda gosto dele. Será que ele pode estar querendo voltar mas tem vergonha de me procurar pelo que fez?

Maria Sem Consolação

Querida, sinceramente, você deveria estar muito feliz por um imbecil desses nunca mais te procurar. Quer saber o que eu acho? Que ele te faz um grande favor em não aparecer na sua frente. Se eu acho que ele tem vergonha de te procurar por ter te traído? Olha, se ele não sentiu vergonha na hora em que traiu, não será depois que irá ter. Quer saber a verdade? Ele traiu e não está nem um pouco preocupado com o que você possa estar sentindo. A única preocupação dele é a de ter saído com o filme manchado, ou seja, ele se preocupa com a reputação que terá perante as outras pessoas e não com os seus sentimentos. Uma prova de preocupação,

mínima, de quem se importa com uma pessoa querida é pedir desculpas ao pisar na bola. Acho que isso não aconteceu, não é mesmo?
Quer um dia vê-lo arrependido? Querendo se rasgar? Então cuide da sua vida, fique cada vez mais linda e arranje um namorado à sua altura. Aí, quando ele te vir passar (e espero que nesse dia você não esteja mais interessada em arrependimentos de ex) irá enxergar a mulher maravilhosa que perdeu e verá que ele não tem mais a menor chance com você. Porque homem idiota só dá valor quando vê que não tem mais vez no pedaço!! E todo homem que trai é um idiota.
Ah, ele não vale a corda no pescoço que você ia usar para se pendurar no teto...

Conclusão: não foi catalogado, até este momento, em lugar algum sobre a face da terra, um homem que se tornou fiel, que passou a respeitar uma mulher ou que se arrependeu de ter se separado dela porque ela tentou o suicídio, porque implorou, chorou demasiadamente ou ameaçou matá-lo. Essas táticas são falíveis, não perca seu tempo!!!

Confissão de uma louca

Ele havia me traído e eu estava agora no prédio em que ele morava, esperando-o sair para ir à faculdade. Devia ser 7h30 da manhã. Eu queria saber por que ele tinha me traído e, pior, por que tinha me abandonado, logo eu que sempre tinha sido uma boa namorada para ele. E ele ainda ficava me dizendo que nem arrependido estava. Eu sei que eu estava decadente. Magra demais, fazia dias que eu não comia e ainda por cima usava uma roupa esquisita, moletom amarrado na cintura, camiseta muito maior que eu e calça jeans com a barra da calça por fazer. Meus cabelos não viam xampu havia dias. A verdade é que não encontrara forças para me arrumar nos últimos dois meses.
Esperei-o no hall de entrada do edifício, o porteiro já me conhecia e me deixou entrar. Ele não atendia mais minhas ligações e não retornava nenhum dos e-mails diários que eu enviava. Eu precisava falar com ele, ele tinha de me ouvir, eu queria voltar, consertar o que ele tinha feito, o que talvez eu tivesse feito para que ele fizesse o que fez, sei lá, eu queria ser ouvida e que ele dividisse comigo a dor que eu estava sentindo, porque eu não era culpada daquela dor, eu não era merecedora dela e não aceitava que as coisas tivessem tomado o rumo que tomaram. Na verdade eu queria que ele sentisse que eu o havia perdoado, que estava tudo bem e que eu me apresentava disposta a recomeçar como se nada tivesse acontecido. O elevador abriu e ele saiu, lindo, cheiroso, arrumado, e assim que me olhou irritou-se profundamente, gritando comigo: "O que você faz de novo aqui? Já não te disse que nunca mais quero te ver?". Pegou-me pelo braço com força e me colocou diante do espelho do elevador: "Olha a sua cara, olha as suas roupas, você está acabada, está horrorosa, até quando você vai ficar assim, até se matar?".
Eu comecei a chorar, ele me levou para fora do edifício pelo braço e disse ao porteiro que eu estava proibida de entrar ali, depois me soltou e se pôs a caminhar em direção à faculdade. Eu o seguia, chamava-o pelo nome, ele me dizia que eu era louca e que era para eu sumir da sua vida. Passávamos pelo viaduto da Avenida 9 de Julho, em São Paulo. Eu só queria que ele me ouvisse, mas acho que ele não aguentava mais minhas lamúrias. Então falei que se ele não me desse atenção eu ia me jogar de lá. Ele disse: "Vai fundo". Eu estava tão desesperada e minha vontade de morrer era tão grande que fui até a beirada e fiquei lá balançando. Depois não me lembro de muitas coisas, tenho só uns *flashes* em minha mente, um carro de bombeiros chegando, várias pessoas paradas olhando, o viaduto sendo interditado e alguém me dizendo: "Dá aqui sua mão, moça. Não faz isso, não". Quando acordei eu estava em uma casa psiquiátrica e uma enfermeira me perguntava se eu queria ficar ali.
Eu respondi que sim.
Ele nunca foi me visitar.

A MELHOR MANEIRA DE SE VINGAR DE QUEM TRAIU VOCÊ

Depois da tristeza, do coração partido, da mágoa e do sentimento de rejeição e traição, inevitavelmente, na imensa maioria dos casos, vem o desejo de vingança. Isso se ele não ocorrer simultaneamente com a descoberta da traição. Não que se queira derramar o sangue de quem nos apunhalou (embora algumas pessoas assim o façam), mas que pelo menos haja um troco bem dado no traidor, com o intuito de que a pessoa se arrependa até a última gota de sangue (desejo da maioria) e até, quem sabe, aprenda uma lição cristã (desejo da minoria), a de não fazer aos outros aquilo que não queremos que façam conosco. Esses sentimentos são praticamente algo inerente a todo ser humano traído.

A vingança nas traições, cujo objetivo é o arrependimento da outra parte, está associada a uma única coisa: nosso EGO. Escrevi grande porque ele tende a ser grande mesmo. Quem é traído e quer vingança é porque o ego foi ferido, porque foi pisado e está doendo. Sim, ego dói. Tanto quanto um coração apunhalado. Uma das leitoras que responderam o questionário em meu blog relatou o seguinte:

"Van, não pude me conter, foi mais forte do que eu. Não aceitei o fato de ele ter me traído numa boa, isso não pertence a

mim, e ficar em casa sem fazer nada, no meu ver, é coisa de corna mansa. Já não me bastava eu ser traída e trocada, agora ia ter que aguentar a situação calada? Eu aqui sozinha e ele lá com ela numa boa? De jeito nenhum. Então tomei uma decisão, a de transformar a vida dele em um inferno até o dia em que ele me pedisse clemência de joelhos. A primeira coisa que eu fiz foi mandar uma carta à mãe dele avisando que ele, até dois anos atrás, fumava maconha todos os dias e que de vez em quando ele ainda puxa uns baseadinhos nos finais de semana, depois do almoço na casa dela, nos fundos do quintal, enquanto ela descansa. Também fiz questão de comunicar que um neto dela havia sido assassinado, antes mesmo de nascer, porque a namorada anterior dele tinha feito um aborto. Seus pais são evangélicos, imagina só o forrobodó que não deu. Mas é claro que não fiquei satisfeita e resolvi ferrar ele no trabalho e mandei um carro de telemensagens de amor para a frente do Itaú em nome dele, se declarando para o seu chefe. O banco todo parou, eu estava fingindo pagar conta na fila para assistir tudo de camarote, inclusive coloquei uma peruca, óculos escuros e um boné. O pessoal na fila ficou batendo palma e alguns diziam que admiravam a coragem dele. Não sei o que deu, só sei que ele não apareceu mais para trabalhar. Depois foi a vez da nova namorada dele, uma loira de cabelo cheio de pontas duplas, aquela com quem ele me traiu. Para qualquer lado que ela ia eu ia também, na padaria, no shopping, no supermercado. Toda vez que ela me via eu sorria sarcasticamente e mostrava um pedacinho do punhal escondido dentro da bolsa. Eu a via em pânico nessa hora e era muito engraçado. Descobri até onde era o salão onde ela fazia as unhas e um dia ela deu de cara comigo lá. Comentei com a nossa manicure que eu tomava remédios para os nervos e que visitava constantemente um psiquiatra. Depois disso não a encontrei mais na cidade. Será que ela se mudou?"

A que conclusão você chegou ao ler essa história? Você conseguiu ver mais a fundo o reflexo da atitude de vingança na vida dessa leitora? Claro, a história é até engraçada, tem seu lado cômico, não posso negar. Eu inclusive ri quando li o seu depoimento e na hora tive certeza de que ele iria para o livro.

Para quem está agora com desejo de sentir a gota de sangue do traidor escorrendo pelo canto da sua boca, ler esse depoimento foi um momento delicioso, porque é como se você tivesse pensado? "Hummm, isso me parece uma coisa prazerosa de se fazer, vou ver também de que forma posso me vingar."

E aposto que você imaginou a cena com você e seu ex lá, todo cheio de medos pelo que ela fez com ele. E se imaginou feliz, vitoriosa e sorridente naquele momento, da mesma forma como ela se sentiu...

Mas preciso te contar uma coisa, girl... Ela se sentiu assim só até chegar em casa.

O fato é que existem muitas histórias que nos parecem maravilhosas quando são vistas em um filme, quando são partes de um livro ou são contadas por outras pessoas. Mas que se fossem vividas por nós, na nossa vida real, seriam verdadeiros desastres. Tem coisas que nasceram para ficar apenas nos filmes. Quer um exemplo? Titanic. Quem não desejou ser a Rose (Kate Winslet) no filme *Titanic*? Eu, na hora em que assisti ao filme, desejei. Agora, na vida real, se você pudesse escolher que vida viver, seria a dela, a bordo de um transatlântico afundando, com milhares morrendo e você perdendo seu maior amor enquanto congela no mar ou corre o risco de ser comida pelos tubarões? Nuuuncaaaa!

Está vendo? A história do filme *Titanic* é linda de ser contada, mas horrível de ser vivida. Bangue-bangue na TV dá uma emoção e tanto, mas na vida real duvido que alguém goste de estar em tiroteio no meio da favela da Rocinha!

E é aí o ponto aonde eu quero chegar. Minha leitora querida, que me deu esse depoimento sincero (e a quem eu agradeço de coração por dividir isso com a gente), riu muito no momento em que ela acabou sua doce vingança. Tenho certeza de que aquele sorriso imenso brotou do rosto dela como o primeiro sorriso pós-traição que ela conseguir dar espontaneamente. Mas também tenho certeza de que ele durou só o tempo de ela chegar em casa. E que depois, as coisas não foram tão divertidas assim, não. E aposto também que ela chorou depois que tudo acabou e que concluiu que havia, sim, uma outra coisa que era muito melhor de ter feito.

Porque, acredite no que vou te dizer, é uma regra na vida tão regra que ainda não vi exceção acontecer: sempre que você faz alguma coisa só para provar algo a alguém, no primeiro momento tem a satisfação de ter conseguido, mas a longo prazo é você quem se dá mal e se arrepende.

Essa é uma regra séria. Eu uso isso na minha vida como um dos meus princípios. Uso-a para tudo. E ela serve para tudo mesmo, desde quando pensamos em nos cobrar desfilando cada dia com um supergato mais gato ainda na frente de quem nos traiu, só para provar para nosso ex o quanto estamos bem e o quanto somos mais pegadoras que ele, até a escolha de um curso universitário mais difícil para passar no vestibular só para podermos provar aos outros que somos capazes.

Na hora, beleza! Quanta satisfação de ter atingido o objetivo, não? Que sentimento potencial de superioridade nos preenche, não é mesmo? Mas e depois? Te pergunto: e depois? Como é que fica o depois, quando chegamos na nossa casa e nos atiramos na cama chorando, porque na verdade queríamos estar com quem amamos e não pendurada no pescoço de um gato que é só um gato e mais nada? Até mesmo porque é horrível se deitar com uma pessoa quando você ainda pensa em outra, nem que seja com raiva. Ou então quando vamos lá fazer cinco anos de um curso difícil que não tem nada a ver com a gente só porque os outros vão nos achar inteligentes.

E o pior das vinganças amorosas sabe o que é? É que o tempo

que você gasta *mirabolando* o que fazer, de que forma fazer e executando a vingança é um tempo durante o qual você se mantém amarrada a uma situação decadente e em que, na verdade, ambas já decidimos que você não quer mais estar: pendurada no passado.

O tempo que você perde nessa situação acaba tendo um gasto de energia danado, desnecessário, e que poderia estar sendo usado para algo muito melhor para você. Fora que você acaba cuidando de uma vida que não é a sua e que nem lhe diz mais respeito, porque você fica centralizada na vida dele. E mais ainda: você corre o risco de ficar obcecada pela vingança e paranoica, sem nem ao menos perceber que está. Alguém aí lembra do filme *A lente do amor*? É um filme em que a Meg Ryan passa mais da metade da história neurótica, bolando várias vinganças contra o namorado que a traiu. Imagine você perdendo metade do tempo da sua vida fazendo coisas para se vingar do imbecil. Sabe em que momento do filme a Meg se dá bem? Quando ela cansa de tentar se vingar dele, resolve olhar em volta e ver que tem um grande amor do ladinho dela, e que ela não estava percebendo de tão bitolada que estava para se vingar. E estava tão doida mesmo que conseguiu fazer com que outras pessoas participassem da estratégia dela.

Ok, ok, eu concordo com você. Talvez o imbecil que traiu a Meg merecesse mesmo levar umas e outras, e tenho certeza absoluta de que o seu também merece. Afinal, esse idiota tem de pagar pela besteira que fez! E que justiça é essa, em que alguém nos prejudica e ainda por cima sai feliz por aí com outro amor, ou então à procura de outro e ainda de lambuja com fama de garanhão? Concordo com você que isso está parecendo algo bem injusto. É sacanagem mesmo! Ele faz algo errado e quem sai estuporada é você? Sim, também concordo, tem de existir justiça divina, divina providência, lei do retorno, sei lá do que você chama a situação em que toda causa tem um efeito. Eu acredito nisso também. Não precisa ficar nervosa, achando que nada vai acontecer a ele, se é isso que te preocupa. O que eu estou aqui te dizendo é sabe o quê? Que não devemos estar nem aí para o fato de ter de haver uma vingança em cima dele, e desejo que você aceite isso.

Não quero que você perca tempo na vida sendo o "zorro" dos relacionamentos, porque você já perdeu tempo demais com ele. Eu não quero, melhor, nós duas não queremos (não é mesmo, girl?) que você perca tempo bolando estratégias para o seu mal e pensando barbaridades dele na tentativa de fazer justiça. E também não quero que você faça isso porque você tem de ocupar sua mente com coisas mais construtivas. E olha que até mesmo decidir a marca da coleirinha que você vai comprar para seu cachorro na semana que vem é mais importante e produtivo do que pensar nele.

Girl, quero que vingança seja algo que não passe pela sua cabeça em nenhum momento. E quero isso por motivos óbvios demais: vingar-se é coisa de gente medíocre e você é grandiosa demais, é algo desnecessário e puro desperdício de tempo. Entenda que por si só ele já se encontra vingado, sem que você precise mexer uma palha, gastar um milésimo de energia e de seu precioso tempo, porque, girl, ele perdeu a melhor mulher do mundo: você! Aaaah, ele te traiu? Problema é... Bem, você já sabe. Quer saber? Esse animal deu um belo tiro no próprio pé!

E cá entre nós, o castigo maior ele já tem: para qualquer lugar do universo aonde ele vá, continuará sendo um babaca; terá a companhia dele próprio o tempo todo: a de um imbecil. Isso não vai mudar, ponto final. Caras que traem são infelizes, mesmo que tenham a ilusão de estarem vivendo o melhor momento da vida deles. E toda ilusão uma hora acaba. Caras que traem não vivem relacionamentos verdadeiros, e por isso não vivem relações verdadeiramente felizes, entendeu? Caras que traem sabotam a eles próprios, e ainda por cima saem se achando os inteligentes. No fundo é de "ter pena". Mas veja lá, não quero que você sinta isso por ele, pois, como você ainda está sensibilizada, é capaz de ter vontade de pegar ele no colo e consolá-lo, sem ao menos ele imaginar por quê. Caras que traem são abomináveis! E você se vingar ou não dele não o transforma num idiota, porque isso ele já é.

A melhor vingança é seguir a sua vida em frente, numa boa e sem ele, sem olhar para trás e com dignidade. Ser traída ou não é algo que não depende da gente, lembra? Agora, ter dignidade ou não, independente de qual situação for, é algo que diz respeito somente a nós. E você vai sair dessa, superar essa traição e em alto estilo. De salto alto nº 15 e usando Chanel nº 5. Porque você é *a* mulher!

Está combinado, girl? Então bate com o quadril aqui! Claro, eu tinha certeza de que você iria aceitar...

Sabe o que irá doer de verdade nele? Não é a sua atitude de vingança que demonstrará que você está com raiva dele, e que ele interpretará como "ela ainda me ama!". Nem você ficar com o melhor amigo dele, porque isso ele vai interpretar como "ela me ama e fez de propósito". Muito menos você falar mal dele para a vizinhança toda, porque isso significará "ela me ama e está 'descornada'".

O que dói, amiga, é a indiferença. O contrário de amor não é ódio, é indiferença. Muitas vezes amamos e odiamos ao mesmo tempo, por não sabermos lidar com a situação, com o sentimento e também por revolta de termos sido rejeitados, traídos, enfim, de a pessoa não nos tratar da forma como achamos que deveríamos ser tratados. Quem desdenha demais, fala mal demais, cuida demais, critica demais está dizendo, em outras palavras, que determinada pessoa ou situação tem importância em sua vida. Mesmo que seja certo tipo de importância que eu e você não faríamos questão de representar. Mas o fato é que essa importância há.

Agora, quando você é indiferente a algo e age de forma indiferente também, não se preocupa, não para pra prestar atenção e até se esquece, isso significa que essa pessoa ou essa situação não é nada importante, que não tem significação nem relevância.

Amiga, que mensagem você gostaria de passar para ele e para o mundo, e mais importante ainda, para você mesma? Que o ama raivosamente e que está "descornada", ou que superou essa coisa tão pequena que não combina com sua vida e nem

Confissão de uma sanguinária

Quando eu soube que tinha sido traída, decidi não deixar barato. Pistoleira nenhuma iria me fazer de idiota. Marquei um encontro com ela para conversarmos, eu disse que tinha uma oferta de emprego na minha loja. Eu já a conhecia, não éramos amigas, mas nenhum desentendimento tinha acontecido entre a gente. Eu sabia da fama dela de sair por aí com homens casados e que para ela era apenas diversão. Não que ela quisesse algo sério com meu marido, era apenas um momento. Mas pagou bem caro por ele.

Assim que ela chegou aonde tínhamos combinado, dois capangas que eu tinha contratado a agarraram e a levaram para dentro do carro. Colocaram *silver tape* na sua boca e prenderam suas mãos com uma corda. Eu dirigia, enquanto os dois iam no banco de trás com ela, um de cada lado. Falei que agora ela ia pagar pelo que tinha feito, que eu ia queimar seu corpo com ácido.

Chegamos a um barranco deserto e descemos com ela, que chorava sem parar. Tirei da bolsa uma tesoura gigante e fiz um corte supermoderno em seus cabelos enquanto os meninos a seguravam: deixei um lado bem comprido e fiz uma franja que começava no meio da cabeça e era irregular. Então pedi aos meninos que tirassem a fita da boca dela e falei que se ela gritasse íamos ser mais malvados. Mostrei a ela uma garrafa que continha água e disse que era ácido, que a única chance de ela sair ilesa era fazer exatamente o que eu queria, senão iria dar um banho nela que ela jamais esqueceria. Ela concordou, não era louca de não concordar, então peguei meu celular, liguei para meu marido no confidencial e pedi que ela dissesse a ele o seguinte: "Você é um dos piores homens de cama que eu tive, seu pinto minúsculo não faz nem cosquinha, e nunca mais ligue para mim, senão eu conto para todo mundo o fracasso que você é na cama".

Fiquei impressionada como ela falou direitinho, depois pedi aos meninos que colocassem a fita na boca dela novamente. Eles rasgaram toda a sua roupa e aí derramei a garrafa de água nela, que se atirou no chão se rolando e se sacudindo desesperada, porque acreditou que era ácido. Deixamos ela ali, sem fita na boca, pelada e com as mãos soltas e fomos embora. Na saída do barranco avistamos uma placa: "Cuidado, cão feroz!". Uma vez eu e meu marido a encontramos em um restaurante, ela não ousou levantar a cabeça e foi embora em menos de três minutos. Continuei casada com ele por mais dois anos, por fim decidi me separar antes que eu cometesse algum crime. Não demorou muito para eu descobrir mais uma aventura dele. E depois outra e outra e outra... Estava dando uma dor de cabeça danada ensinar a tanta mulher o que acontece quando se olha para o marido alheio.

seu modo de ser e seguiu para horizontes muito mais promissores?

Então, bambina, segure as pontas. Não fazer nada contra ele depois de ser traída não deve ser traduzido por "engula a seco, corna mansa". Deve ser traduzido por "sou uma mulher inteligente e que tem classe".

Como a nossa velha e boa avó já dizia: "Vingança é um prato que se come frio". E como a nova e também boa Vanessa diz: "E deve ser evitado de ser comido na hora em que for servido, porque estamos ocupadas demais saboreando uma nova refeição que apareceu na nossa vida".

Então, chica, já sabe, né? A melhor vingança é seguir em frente sem ele, cuidando da sua nova vida com muita dignidade porque você se ama, deixando ele realmente de queixo caído e fuzilando a própria mente, tentando entender a atitude inóspita que você teve ao sair da mesma forma como a Lady Di saiu quando foi traída pelo marido com a Camila (que estava muito longe de ser uma Pitanga), como uma verdadeira princesa! E fazendo-o se perguntar quem é aquela mulher decidida e autoconfiante que ele teve a infeliz ideia de trair. Você se vingar não irá fazer com que ele pense: "Puxa, que grande mulher eu perdi!".

Se você der uma de louca e sair aprontando, se vingando e ensandecida por aí atrás do sangue dele, quebrando seus discos, pondo fogo nas roupas e com um megafone na frente do trabalho dele comunicando que o pinto dele é menor que seu mindinho, apenas dará a ele e aos demais que estiverem assistindo à cena absurdamente cômica de se ver (mas absurdamente triste de se viver), a certeza de que realmente você é uma louca de hospício e que ele teve a sorte de não estar mais com você. Até ele vai se ver depois aliviado de ter te traído e o relacionamento ter acabado, antes que ele acordasse no meio de uma noite contigo e te visse vestindo uma camisola branca, segurando uma faca e dizendo que é o Chuck. E não é isso que queremos, não é mesmo, princesa?

Matemática da vida

Resultado da soma e da interação de todas essas palavras:
Quanto mais tempo você passar se vitimizando, chorando pelos cantos ou mergulhada na raiva pura e pensando em vingança, menos tempo terá de aproveitar as coisas boas da vida e viver relacionamentos maravilhosos.

Autopiedade + choradeira + ira + vingança = perda de tempo x 2

Nonsense:
Ficar batendo na outra, quando quem te trai é ele, nunca consertou marido traidor algum sobre a face da terra.

"Novidade":
Até parece que a culpada é a outra.

Impressionante:
Tem homem que adora apanhar quando é pego traindo, mas gosta tanto que trai e fica torcendo para ser pego só pra levar mais algumas. Acredite: um homem assim se sente homem, se sente desejado e amado.

Sonho de todo babaca:
Ser esbofeteado em público ao ser acusado de "galinha" pela namorada.

Help Vanessa: não aguentei...

Vanessa, sou casada há 23 anos, e na semana passada descobri que meu marido está tendo um caso com a secretária e que o filho deles já tem 4 anos. Temos duas crianças lindas (de 16 e 9 anos). Muitas vezes ele viajava nos finais de semana com ela e privava nossos filhos de sua atenção e companhia. Além disso, descobri que ela ganhou dele um carro muito melhor do que o meu. Estou revoltada, porque esse ano ele determinou que os meninos trocassem de escola para ir a uma pública e a pé para ajudar nas contenções de despesas da casa. Decidi me separar de vez, essa foi a gota que faltava. Sabe o que ele disse? Que era para nós sairmos de casa que ele ficaria aqui com ela. **Como eu me neguei a sair com as crianças, ele me agrediu ontem à noite.** Não aguentei e fiz uma coisa horrível. Hoje pus fogo no carro dele.

Maria Gota D'água

Apoiada!

P.S.: realmente tem algumas coisas que ultrapassam de forma absurda todos os limites. Não sou a favor de atitudes agressivas e violentas. E acho que tem sempre uma forma de sairmos de um relacionamento traídas e mesmo assim com dignidade. Mas nesse caso, tenho certeza de que todas nós apoiamos a atitude de Maria Gota D'água, não é mesmo, meninas?

Confissão de um homem traidor arrependido

Eu era mais novo quando atingi o meu pico de traições. Tudo bem, eu sei, ser novo não é justificativa nenhuma. Mas é sério, eu era imaturo ainda, tinha 32 anos e nem sabia bem o que queria da vida. Eu tinha uma namorada fantástica, divertida, bonita e muito legal. Ela não era a Miss Universo e nem um crânio, vamos assim dizer, mas tinha coisas nela que eram encantadoras, e que faziam qualquer cara como eu se sentir muito bem. Mas como falei, eu ainda era imaturo e estava querendo me divertir mais do que qualquer outra coisa. E isso significava experimentar o que viesse pela frente, outras mulheres, as amigas dela, no pacote geral das festas que rolavam. Eu facilmente despistava minha namorada deixando-a em casa, porque dizia que estava muito cansado. O fato é que a Suzana tinha muitas amigas também legais e bonitas, e era difícil resistir; algumas até davam em cima de mim na cara dura, acho que eu tinha uma fama de "galinha" e, verdade seja dita, tem muita mulher que gosta de homem assim. E tudo dava certo, eu saía pela tangente sempre que a Su desconfiava e até o nosso terceiro ano de namoro ela não tinha sabido de nenhuma pulada de cerca minha. Até o dia em que me dei mal e ela me flagrou beijando uma amiga dela. Daí não teve tangente que me salvasse.

Foi muito sofrido, acredito que mais ainda para a Suzana. Porque ela nunca mais aceitou falar comigo, a melhor amiga dela me virou uma bofetada no dia em que fui explicar alguma coisa para ela, na tentativa de que ela me ajudasse a reatar o namoro, e até as flores para a Su foram devolvidas à floricultura. Eu também fiquei triste, mas sem grandes problemas para me recuperar; eu tinha outras ficantes e muitas festas para ir, e assim a vida foi passando. A Suzana se mudou logo em seguida do bairro. Eu senti, sim, falta dela em algumas situações, como no meu aniversário. Enquanto pouca gente lembrava de mim nessa data, ela nunca esquecia, e sempre fazia com que coisas legais e surpreendentes acontecessem. Na época, eu me lembro que meu remorso por tê-la traído existia, mas não era algo tão grande se comparado com o que tenho hoje pelo que eu fiz. O que aconteceu foi que um dia encontrei outra pessoa que achei que fosse legal para namorar como a Suzana, só que com o detalhe de que eu estava enganado. Fui traído, descobri que ela tinha um caso com meu colega de trabalho fazia já quatro meses. Senti naquele momento a dor que a Suzana teve e cada pedaço do meu corpo doeu quando eu soube a verdade, lembrei muito dela nesse momento. Cada dia mais eu pensava que nunca deveria ter agido daquele jeito com Suzana, e que dificilmente encontraria uma mulher como ela.

Eu passei a ter saudade dos momentos maravilhosos que tive com a Su, mas o golpe fatal do meu arrependimento aconteceu no início do ano passado, depois de cinco anos da separação. Eu caminhava, já solteiro novamente e com o coração amargurado, quando vejo a Suzana do outro lado da calçada, de mãos dadas com um homem. Ela estava maravilhosa, linda, bem-vestida, falava gesticulando com aquele jeito todo especial dela de encantar, e o sortudo ria da mesma forma que eu quando estava ao lado dela, descontraidamente. Ela estava muito melhor do que quando nos separamos, e a minha dor era ver que uma grande oportunidade havia passado pela minha vida sem que eu a aproveitasse, e que eu devia estar a milhões de anos-luz de qualquer sombra de pensamento seu. A mulher da minha vida estava onde merecia estar, feliz e sem mim.

E O VENTO O LEVOU
(A outra, melhor dizendo...)

Girl, que fantástico! Ele te traiu e ainda por cima foi embora com a outra? Mas isso só pode ser coisa de Deus! Viu como ele é bom com você? Te mostrou o quanto ele não era adequado para estar contigo, jogou na sua frente as verdades sobre ele e ainda por cima fez com que a *bomba em pessoa* saísse sozinha da sua vida pelos próprios pés, ou de braço dado (de livre e espontânea vontade, eu preciso te lembrar) com uma louca que acredita que um homem desses pode ser algo bom. E isso sem dar o menor trabalho para você. Querida, quer um conselho? Mande flores para ela. E que a diaba o carregue...

Sabe, um dia uma amiga minha foi traída (novidade!). Aliás, ela foi várias vezes traída pelo mesmo cara. O fato é que eles viviam em um triângulo amoroso com outra mulher e ele tinha inclusive tido uma filha com cada uma dessas duas amantes dele. Eu digo que as duas eram amantes porque na verdade nenhuma delas era a esposa oficial. Ninguém sabe ao certo quem começou o relacionamento primeiro com ele (sente só o tipo do cafajeste) e quem era a preterida ou que recebia mais satisfações. Se bem que grande coisa receber satisfação dele, porque era uma mentira atrás da outra. E preciso contar um detalhe aí. No meio de todas aquelas brigas entre as duas, e infinitas disputas, apareceu uma terceira. Ou seja, ele era a prova viva de que não existem traidores compulsivos recuperados. Aqui, no meu livro, isso não existe, e eu nunca conheci. Resumindo: o cara não tem conserto.

E querem saber por que a minha amiga não o deixava? Vai cair o seu queixo, mas o real motivo de ela nunca ter largado ele de vez e ido em busca de algo melhor foi não querer deixá-lo de mão beijada para a "outra" (até o outra tem de ser com aspas). O motivo de ela não ter se desapegado de algo que a estava ferindo diariamente era basicamente o seu ego. O seu orgulho e o não querer "perder" a batalha (visto que todas ali são perdedoras por estarem com ele) estavam arruinando a sua vida. O foco da existência da relação era atingir a outra e deixar bem claro que ela era a número 1. Não acredito que aquela relação estava sendo abastecida de amor, a meu ver ela era nutrida pela disputa. Você percebe o quanto o ego pode destruir uma pessoa e impedi-la de ser feliz?

Não tenha o menor receio de abrir mão de alguém que na verdade nunca lhe pertenceu, não a faz feliz e que já deixou bem claro que não é digno de estar com você. Às vezes, na vida, quando se perde é que se ganha.

Help Vanessa: saindo por cima

Van, fui traída e ele me trocou por outra. Terei de sair desse relacionamento rebaixada ou há algo que eu possa fazer para sair por cima?

Maria Corintiana

Há milhares de coisas que você pode fazer para sair por cima, entre elas esquecer esse idiota o quanto antes. Se você conseguir, então te direi que isso é o mesmo que dar a volta por cima, e ficar... Adivinha onde!

O que você pode fazer também é sair com dignidade.

Sem pedir para que ele a deixe e volte para você. Veja bem, é um favor que ela te faz, carregando para fora da tua vida um homem que não corresponde àquilo que você merece e fazendo com que você não perca mais tempo na vida. Aliás, o outro favor que ela te faz, olhando por outro ângulo, é o de deixar mais homens honestos disponíveis por aí. Matematicamente falando, girl, o número de homens legais disponíveis agora é maior, uma vez que ela está ocupada com um imprestável.

Portanto, não chore por ele, não sapateie, não tenha ataques de raiva na sua frente e o deixe pensando sobre o fato de ter feito uma grande burrada na vida. Quer deixar um homem de boca aberta e fritando o cérebro? Olhe para ele com olhar de paisagem e fale com voz mansa: "Sinceramente, querido? Eu esperava que você fosse mais inteligente".

Não seja assunto para eles terem sobre o que conversar. Aliás, você irá inclusive se surpreender com uma possibilidade, sabe qual? O fato de ele perder a graça para ela. Se você não o disputar com ela, há muitas chances de ela achar que ele nem tem tanto valor assim. Já conheci muita mulher que no fundo só queria era entrar em uma disputa para ver se era capaz de levar o prêmio. Nesse caso, levam a bomba e acham que estão fazendo um excelente negócio.

QUANDO A GENTE TOPA COM ELA PELA FRENTE

Classe, muita classe nessa hora. Classe, amiga, C-L-A-S-S-E. A Lady Di terá orgulho de você, eu também e você mais ainda, depois que vir que esteve no mesmo ambiente que ela, passou ao lado na rua ou então entrou na festa de final de ano na empresa onde vocês todos trabalham e se comportou como uma princesa, como se nada fosse nada, com cara de paisagem e sem dar nenhum "piti" ou avançar na garganta dela.

    Ela pode ser o que for, pode merecer uns bons bofetes até, uma vez que é aquele tipo de mulher que adora participar de uma traição apenas para se sentir como centro de alguma coisa e que precisa mostrar para si própria e para os outros "quanto está podendo". Cá entre nós, tem muita mulher assim, mal resolvida, e que se interessa por um homem comprometido apenas porque é um desafio e ela tem necessidade de mostrar para si quanto é melhor do que as outras mulheres. Essas mulheres, a meu ver, realmente merecem se ferrar. E irão se ferrar mesmo, uma hora ou outra isso sempre acontece. Mas você não precisará fazer nada e nem tem de ser através das suas finas mãos que alguma coisa será feita, até mesmo porque mão de princesa serve para ser beijada. Deixe que ela própria se sabote. Eu não sujaria as minhas mãos com algo tão baixo.

    O assunto agora é você com ela, certo? Então, você vai fazer tudo como se ela não tivesse a menor importância. Como se ela fosse algo tão pequeno a ponto de não ser notado. Por que isso? Porque ela realmente é insignificante na sua vida. Ela foi apenas a bala do revólver. E que diferença faz a bala do revólver que feriu? A questão é quem puxou o gatilho, e não a marca da bala. Além do quê, se ela for aquele tipo de mulher que descrevi mais acima, e que na verdade tem complexo de inferioridade, tudo o que ela irá adorar nesse momento é você fazendo uma bela cena por ciúme dela. E nós não daremos esse gostinho.

Sabe, girl, a experiência me mostrou em diversas oportunidades quanto as mulheres são competitivas entre si. Isso me deixa bastante triste, porque acho que não precisava ser assim.

Mas por que, afinal, existe uma acirrada competição feminina? Não sei ao certo, talvez seja uma ideia que foi passada de geração em geração, de que homem é algo escasso no mercado, e portanto devemos lutar, nem que seja por um pedaço magro deles, devido à lei da sobrevivência. Algo nesse sentido. Um pensamento pobre, claro, e também errôneo, porque eles não são a coisa mais importante deste universo, não estão em extinção e não são a única fonte da felicidade. Mas, enfim, essa ideia se propagou por séculos e séculos e séculos amém, agora cá estamos hoje convivendo com ela como lei. Pensamento feminino do qual os homens acabaram se beneficiando, tirando vantagem. Afinal, assim chove na horta deles sem que eles tenham de fazer força alguma. Tem mil brigando para entrar lá, que incentivo eles têm para melhorar a plantação se tem quem queira ela de qualquer jeito?

Então, fica me parecendo que a competição feminina é, na verdade e na maioria das vezes, algo que se faz inconscientemente, por impulso e aliada ao ego. A necessidade real não necessariamente está ali, mas a necessidade psicológica existe e está sempre implícita para a maioria das mulheres. É uma tentando provar para a outra que pode mais. E poucas mulheres não são assim. Sabe por quê? Porque a maioria das pessoas no planeta está dormindo ainda, não para para rever valores e age sem consciência nenhuma, vivendo de certa forma ligadas no botão automático da vida.

    Logo, a maioria das mulheres que participou ativamente da traição irá se achar o máximo de ser o alvo do assunto. Afinal, *ela* foi tão melhor que a mulher dele a ponto de ele preferir passar momentos com ela do que com a esposa. É um pensamento bastante pequeno, mas que existe na cabeça da maioria dessas mulheres. E tenha certeza de algo que vou lhe dizer: a competição feminina alimenta muito mais os jogos triangulares de amor do que o amor em si. A maioria das mulheres está na briga por um homem mais por causa da presença da outra mulher do que por amá-lo. Esse é o motivo de os homens casados, ou com qualquer outra forma de indisponibilidade, serem sempre os mais assediados.

    Quer ver um exemplo? Você está andando em Hollywood, perto da Calçada da Fama. A poucos metros de você vem um casal belíssimo, eu começaria a dizer deslumbrante assim que vão se aproximando. Ela é uma morena estonteante de olhos verdes e ele um loiro de olhos azuis que meio que viram verdes e vice-versa, muito bonito e charmoso. Eles estão de mãos dadas e você enfim os reconhece: Angelina Jolie e Brad Pitt. Você acha que Angelina tem a boca mais perfeita do mundo e os olhos mais luminosos que já viu, é o exemplo da mulher que até você beijaria, mesmo sendo mulher hétero. Além disso, ter 10% do dinheiro dela já a deixaria satisfeita. E é nesse momento, bem quando você está passando ao lado dela que ele, o Brad, olha para você, dá um sorriso a mais e te lança um olhar 43 discreto. Ali você morre, girl! Pode ter certeza de que você morre de pura emoção. Porque naquele momento, na sua concepção, o seu ego, a sua autoestima e tudo aquilo que você já recebeu de condicionamento irão te dizer o seguinte: o Brad Pitt olhou para mim, então é porque sou mais interessante do que a beldade que está ao lado dele.

    E isso irá te alimentar. Irá te levar às estrelas. Você, nesse dia e durante vários outros, claro, irá se sentir mais linda que a Angelina, mais sexy que a Angelina, mais-mais do que a Angelina Jolie em todos os sentidos e contará sobre a piscadela do Brad a suas amigas, que contarão a outras que você é supermais-mais do que uma outra que você julgava antes ser mais-mais do que você. Uma mulher inconsciente pensará assim. Uma mulher sem o senso da realidade de como as coisas realmente são agirá dessa forma e se comportará como sendo melhor do que outras. Em outras palavras, a imensa massa das mulheres terá essa reação. Uma pequena minoria das mulheres, aquelas conscientes, pensará: "Que idiota o Brad, um babaca prestes a trair a mulher com quem se casou, uma mulher maravilhosa".

Sim, garota, você é poderosa, linda e quero que você se sinta melhor que a Angelina. Quero que você se olhe no espelho e tenha sempre vontade de ser você. Espero mesmo que todos os dias na frente do espelho você se diga quanto se ama, quanto é linda, e que seus beijos são quentes e sua boca também é maravilhosa. Quero, de coração, que você faça isso porque é uma mulher autoconfiante, mas que jamais você se sinta superior só porque outra mulher foi "rebaixada" de posto. Para você subir, não é necessário que outra desça.

Agora, vamos voltar à "protagonista" que está na mesma festa que você, sentindo-se o "must", a última coxinha do piquenique e o centro do comentário da traição que envolveu você e seu relacionamento. Quer "quebrar" as pernas dela? Não dê a ela o gostinho de se sentir grande coisa. Muito pelo contrário, ela provavelmente se sentirá muito inferiorizada se as expectativas dela de aparecimento não forem percebidas e você estiver calma, centrada, linda, sorridente e conversando com seus amigos, que a abraçam e lhe dizem o quanto você está bem. É muito provável que nessa hora ela sinta vontade de estar perto de você também e rindo com as pessoas ao seu redor, que parecem ser todos superlegais. Aliás, você parece ser superlegal também, e pelo visto todos te adoram. Mas ela não pode, porque agora ela é o peixe fora d'água, sacou? E você sabe onde está nesse momento o ego dela? Bem, nem ela sabe. Veja bem: em nenhuma, mas em nenhuma hipótese, jogue as outras pessoas contra ela se você quiser terminar essa história toda em grande estilo. Deixe que todos façam suas escolhas, se querem ser neutros na história toda, se querem te apoiar ou se preferem ser amigos dela. Deixe sempre que todos se sintam livres ao seu lado, porque as pessoas mais solicitadas e mais procuradas são aquelas que dão liberdade àqueles que estão por perto. E outra: falar, comentar, criticar, tentar achar defeitos nela, querer saber da sua vida pessoal, de tudo o que a cerca, dos últimos acontecimentos e infortúnios da sua vida, nada mais é do que comprovação de neurose sua, de que você desperdiça tempo à toa e dá a ela um valor que ela não deve receber . Ela não é assunto para você. Não lhe interessa, não lhe acrescenta nada, e você é muito, mas muito mais do que isso. Lembre-se de que pessoas grandes discutem ideias, pessoas medianas discutem coisas e somente pessoas pequenas discutem sobre pessoas. E o que você é, hein, girl?

Confissão de uma centrada

O meu marido chegou em casa e me contou que havia me traído. Eu até hoje não consigo entender por que ele fez aquilo. Não me trair, mas me contar. Eu nem desconfiada estava, mas se ele falou, lá ia eu não acreditar? Eu perguntei com quem havia sido e ele me disse que era com a recepcionista de um edifício em construção. Que ele havia ido ver a obra, pintou um clima e por fim eles transaram ali mesmo, no apartamento decorado que estava para demonstração. Na hora eu perguntei se eles haviam usado camisinha. Ele disse que não. E foi nesse momento que meu mundo veio abaixo. Fiquei chocada! Como pode ele me trair e não se precaver? E se ele pega uma doença e passa para mim? E se ele a deixa grávida? Como ele faria para explicar isso aos nossos filhos? Começamos a discutir e ele parecia muito arrependido. Não sei se era porque havia me traído, por ter me contado ou não ter se protegido.
No outro dia levantei furiosa. Ele ia sair para o trabalho e eu disse que antes ele me levaria até uma floricultura e depois a uma farmácia. Ele não ousou me contrariar, muito menos me perguntar por quê. Arrumei-me como de costume (muito bem) e depois fiz ele me levar até a moça. Entrei no plantão

de vendas da recepcionista enquanto meu marido me esperava na porta. Entreguei a ela um vaso de orquídeas e um cartãozinho com meu telefone e disse: "Estas flores são para você, e muito obrigada, querida, mas meu marido não irá comprar apartamento neste prédio porque ele não gostou do seu atendimento. Da próxima vez faça melhor". Ela começou a gritar "essa mulher é louca!". Eu apenas disse: "Calma, querida, contenha-se, e se você tiver algum problema pode me ligar, aqui está meu cartãozinho". Ela agora estava pálida e me olhava. Deixei as flores em cima da mesa dela e saí. Antes de chegar à porta dei uma viradinha, tirei da bolsa o pacote de preservativos e voltei à sua mesa: "Ah, isso aqui também é para você, se chama preservativo, e as pessoas que são inteligentes costumam usar. Até mais". Ela continuou sentada e eu saí de lá sem ouvir novamente a voz dela. Depois me separei do anta, nunca gostei de homem burro mesmo.

E QUANDO ELA É SUA AMIGA, OU ENTÃO A SUA MELHOR AMIGA?

Aí são outros mil e quinhentos. Ela não é uma peça avulsa, e talvez até inocente no meio de uma traição, ela é parte ativa e consciente. Como sua amiga, ou melhor amiga, ela realmente devia explicações a você. Ela tinha um compromisso sério com sua pessoa e, portanto, tem culpa no cartório e se encontra agora em um patamar tão baixo quanto o de quem a traiu.

Amizade é uma relação linda e séria. E nesse caso, quem é traída pela melhor amiga acaba levando um baque bem maior, como algo menos esperado ainda (ou quem sabe esperado). Mas o fato é que perder a confiança em quem você escolheu para confiar lhe dá, além do desgosto e desesperança no ser humano, novamente o sabor de incompetência na hora de fazer escolhas quanto às pessoas que a cercam.

Se isso aconteceu com você, o que preciso primeiramente lhe perguntar é se por acaso você não faz escolha errada nas amizades e se priva da seleção daqueles que a cercam apenas para não se sentir tão sozinha e sem companhia para ir a alguns lugares. Veja bem, a maioria das pessoas se sente solitária neste planeta, por isso procuram tanto uma alma gêmea, no amor ou nas amizades, porque querem estar junto de alguém que seja um complemento delas e que lhes permita sentir sincronicidade no modo de viver. A maioria das pessoas detesta estar sozinha, e um dos motivos disso é não ter ainda percebido quanto a sua própria companhia pode ser agradável, além de não ter como base a filosofia de que quantidade não é qualidade e que mais vale ter somente um bom amigo do que várias companhias. Existe o receio de estar sozinho, e a situação é tão incômoda que as pessoas preferem se arriscar, e se sujeitar a estar com alguém que amanhã pode lhe aprontar algo, só para não se sentirem solitárias. Uma pessoa de bem consigo mesma nunca se sente solitária.

Das revelações que foram feitas, a maioria das mulheres que foram traídas pelas suas amigas disse que já esperava delas esse tipo de atitude. A minha pergunta a elas era: "Mas por que então se permitiram estar em companhia de amizades duvidosas?". O engraçado é que não sabiam responder a essa pergunta. Uma entrevistada ainda me disse que era porque gostava muito da sua amiga e ela a fazia rir (ai, que vontade de chorar!), e as outras que responderam falaram que era porque não queriam ficar sem amiga. Tá, mas agora eu pergunto: "Que espécie de amiga é essa?".

Eu colocaria como título desse filme *Confidenciando com o inimigo*. Da mesma forma que a maioria das mulheres traídas, de uma forma ou outra, esperava em algum momento pela traição de seus companheiros pelo fato de não confiarem 100% neles, as que foram traídas por uma amiga revelaram que tinham a expectativa de que o mesmo acontecesse e, no entanto, não fizeram nada. Houve aquelas que me disseram que ainda continuaram em contato e com amizade para evitar que, ao se afastar, a pessoa realmente colocasse o plano de traição em prática por ter a justificativa de que a amizade não existia mais. Esse era um raciocínio vão, uma vez que uma amizade não fortificada será sempre uma amizade frágil, e a pessoa que não tem respeito por uma amiga não se importa de fazer isso antes ou depois. Isso torna ridícula aquela que se submete a essa "amizade" apenas por medo da inimizade.

Sendo bem direta, aceitar uma amizade assim é ser conivente

com a situação. Quem não seleciona o que está ao seu redor sabota a si próprio e é coadjuvante da história toda. Aliás, esta foi uma descoberta impressionante nos depoimentos das mulheres: não foi nenhuma surpresa estarrecedora para muitas terem sido traídas. A maioria das mulheres já esperava que os caras com quem tinha relacionamento fizessem isso com elas. Também não foi uma surpresa absurda para a maioria descobrir ter sido traída pela amiga. Mas, então, por que estar com alguém em quem não se confia? Por que se permitir isso?

Mas agora já aconteceu, não é mesmo? O que se vai fazer é mudar a maneira de agir daqui pra frente; tudo isso servirá como um aprendizado. Agora você é a mulher das seleções. Não se permitirá mais estar em companhias não confiáveis, ir a lugares não condizentes nem tampouco aceitar menos do que lhe é devido.

A partir de hoje a postura que você tem em relação à vida e a tudo o que a cerca é diferente da que tinha ontem. Hoje você diz NÃO a tudo o que não é condizente com sua maneira de viver, com sua maneira de tratar as pessoas, de ser tratada, de se relacionar e de trabalhar. Você não aceita mais migalhas, seja lá em que setor da sua vida for. A partir de hoje você se livra de tudo o que é obsoleto, que não acrescenta nada a sua vida, que não tem valor. Em outras palavras: a partir de agora você está cortando todo o peso morto da sua vida, porque só depois que ele desaparecer é que você vai se sentir leve e vai ter espaço para deixar que coisas boas entrem. Sabe aquela amiga não confiável? Com papo besta e sem razão de ser? Livre-se dela. Sabe aquele sentimento amargurado do seu coração? Livre-se dele. Sabe aquele curso sem razão de ser e que nem te dá prazer? Livre-se dele. Sabe aquelas roupas que você nem pensa mais em usar? Doe-as, livre-se delas. Não segure com você absolutamente nada que não lhe pertence e que não lhe serve mais. Acostume-se a agir desta forma: enxugando-se.

Como diria minha amiga Toalá: Feng Shui na própria vida!

Você tem duas escolhas: aprende com seus próprios erros ou com a observação do erro dos outros (isso inclui ler livros sobre traição), o que é muito menos dolorido. Mas e agora, qual a postura que iremos tomar em relação a nossa "baita amiga?". Como ela se encontra no mesmo baixo patamar de quem a traiu, o tratamento conferido a ela é exatamente igual ao dele.

Ele e ela não servem para estar com você, suas vidas não lhe interessam mais. Agora você segue rumo a amizades e amores que têm algo a acrescentar e que não lhe causam danos emocionais. Tudo o que aqui estamos dando de dicas em relação a ele pode se aplicar a ela. Sabemos que não é uma coisa fácil, mas temos certeza de que você consegue: esqueça-os. Não canse sua beleza com gente que não vale a pena.

Mas a conclusão, a essência do que eu realmente quero deixar claro para você é a de que ela realmente não lhe devia nenhuma explicação porque não era ela que tinha compromisso com você. Logo, não lhe cobre nada. Deixe que ela siga a sua vida e faça seus próprios aprendizados.

Importante:
Tem algo que precisa aqui ser levado em consideração: o fato de ela nem saber que você existia na vida dele e que ele tinha um relacionamento de qualquer espécie com alguém. Nesse caso, ela está no barco das completas inocentes, que assim como nós acreditam quando alguém diz que é solteiro. Afinal, ninguém aqui tem detetive para sair à caça de informações, vídeos e fotos sobre aqueles que nos paqueram e a quem paqueramos. Bem, ela pode ser uma pessoa legal e, acredite, já vi histórias assim em que duas mulheres se tornaram grandes amigas. Nenhuma ficou com o idiota, é claro, mas ambas eram pessoas conscientes e sabiam separar as coisas, incluindo saber disciplinar o próprio ego.

Confissão de superação

A vida tem às vezes meios bem tortuosos de escrever as linhas certas. Hoje eu consigo ver isso de uma maneira bem clara. Na época em que a traição aconteceu na minha vida eu me senti impotente, vítima e injustiçada. E por mais que eu acreditasse em Deus, não conseguia entender como era possível ele ter me permitido viver aquela história. Eu era até aquele momento o que se diria uma mulher bem casada, com duas filhas e um marido tradicional, eu tinha casado com o homem que eu amava e tinha uma vida estável com ele.

No aniversário de falecimento de minha irmã eu fui ao cemitério fazer uma oração a ela e colocar flores no túmulo. Quando estava lá, senti uma vontade enorme de ler a Bíblia e a abri em uma página aleatória que dizia: "Assim como o sol queima e a água lava, tão certo como isso eu porei hoje a verdade em tuas mãos". Na hora veio em minha mente que eu estava sendo traída e que me separaria. Eu voltei para casa muito impaciente, cuidei das minhas filhas e liguei para minha prima para que ela me acompanhasse, à noite, à missa de falecimento da Ana, uma vez que nós três fôramos criadas juntas, mas ela não podia ir porque o esposo chegava de viagem à noite. Convidei meu marido para ir junto e ele tinha de visitar um fornecedor da empresa. Então deixei as crianças na casa de uma amiga e fui sozinha.

Na igreja me senti imensamente incomodada, algo me dizia para sair de lá, ir embora, pegar o carro. Tudo passou a me incomodar na igreja, até a voz do padre, de que antes eu gostava, agora era estridente e irritante. Uma vontade avassaladora tomou conta de mim, quando vi estava dirigindo de volta para casa antes da metade da missa, e assim que virei a esquina vi o carro da minha prima e o do meu marido estacionados na minha garagem. Estremeci. Parei o carro quatro casas antes e entrei pelos fundos e então vi a cena mais chocante da minha vida: os dois em cima da minha cama. Foi horrível, e os piores momentos da minha vida vieram a partir disso. Eu me separei. Imperdoável o que eu vi, e espero nunca mais sentir nada parecido com aquilo. Ela também se separou do marido, e depois disso fiquei sabendo que foram várias as amantes que ele teve antes dela. Mudei-me para São Paulo, longe deles e de todos, a fim de reconstruir a minha vida. Até que dois anos depois eu recebo a ligação do ex-marido da minha prima, dizendo que havia me encontrado na lista telefônica através do meu sobrenome e me pedindo para ser testemunha da nulidade do casamento dele perante a Igreja devido à traição, porque ele ainda pretendia se casar algum dia. Eu concordei. Muito poucas vezes havia falado com ele antes, e quando a traição foi descoberta eu estava sofrendo tanto que não tinha condições. Ele também sofria.

Então ele veio a São Paulo para entrar com a documentação e nos encontramos para conversar. O resultado disso foi que nos apaixonamos e eu descobri nele um homem maravilhoso, verdadeiro e disposto a viver um casamento real. Hoje eu sou casada com meu melhor amigo, meu melhor amante e o melhor pai que eu poderia dar às minhas filhas. Eu sou hoje cinquenta vezes mais feliz do que eu era. Minha prima e meu ex-marido se casaram, e só o que eu sei deles é que ambos vivem se traindo.

Vanessa de Oliveira

Cortando o mal pela raiz

Duas amigas traídas conversavam em um bar:
– Meu desejo é que todo cara que traísse perdesse um pedaço do pinto – enchendo o copo com vinho.
– Por que Deus não pensou nisso?
– Ele sabia que as mulheres seriam feras em se superar – virando o copo todo.
– P@#%! Mas é um saco porem tanta expectativa na gente, né? – servindo-se de mais vinho.
– Tinha que ser que nem na Arábia Saudita. Roubou, perdeu a mão. Traiu, perdeu o pinto.
– Se eu ainda fosse casada com ele, dava uma de Lorena Bobbitt – tentando decapitar o gargalo da garrafa com a faquinha do *couvert*.
– De que adianta? Depois o pinto reconstituído dele vira atração pornô mundial e ele ainda fica milionário.
– O problema é que a Lorena jogou o pedaço do pinto pela janela do carro, daí acharam. O negócio é cortar fora e dar para a cachorrada comer.
– Pra qual dos dois cachorros?
– Manda para ela, uma última lembrança da sua amada linguiça.
– Eu mandava para a casa dela via serviço de tele-entrega: Pinto Assado ao Molho Branco.
– Boa! Garçom, traz mais vinho aqui – brindaram e viraram os dois copos.

Help Vanessa: olho por olho, dente por dente!

Vane, ele me trai e o que eu faço é trair ele também. A cada garota com que ele fica eu escolho um cara para ficar também, inclusive já saí com dois amigos dele.

Assim me vingo e me sinto bem melhor, mais aliviada. Eu já tentei conversar com ele sobre o fato de ele ter saído com outras, mas ele se nega a conversar, e pelo jeito a deixar de fazer. Então tenho levado a vida assim. O que você acha da minha tática?

Maria Toma-lá-dá-cá

Eu acho uma m%&*@ a sua tática, sinceramente. Vem cá. Resolveu algo entre vocês? Ele deixou de sair com outras? Vocês se tornaram mais cúmplices ainda? Ficaram mais companheiros ou mais amigos? Eu acho que não, até mesmo porque com tanto vai-e-vem, no olho por olho, não sei se vocês andam tendo muito tempo para se encontrarem.

E me diz uma coisa, até quando essa história vai? Até o dia em que ele descobrir que você anda saindo com outros, passar a te trair mais ainda para retribuir no "dente por dente" e então se sentir aliviado também? Tenho certeza de que aliviada não é a palavra certa para o que você sente. Acredito que você não se sinta mais tão em desvantagem em relação a ele, mas aliviada você estaria se estivesse ao lado de um cara legal, que te respeitasse, te deixasse tranquila e a quem você não precisasse trair para poder se sentir bem.

Quer minha opinião quanto à sua tática? Mude de tática, de namorado, de conceitos sobre relacionamentos e então as coisas darão certo.

POR QUE CONTINUO SOFRENDO TANTO?

Porque provavelmente pulou direto para a última página e começou a ler o livro por aqui, porque se fosse pelo início dele, a esta altura do campeonato não estaria mais sofrendo. A não ser que você não tenha prestado tanta atenção assim ao conteúdo e aos exercícios ou, o que é pior, esteja viciada no sofrimento. O que não é algo tão inusitado assim, visto que muita gente é chegadinha em um masoquismo.

Se você está viciada no sofrimento, passe então a se viciar em se "desviciar" dele. O fato é que se você realmente está disposta a deixar tudo isso para trás e ir em busca da sua felicidade, é necessário que se predisponha a se ajudar. Em outras palavras, a fazer exatamente aquilo que foi dito que você deve fazer. Porque se você seguir a receita de "bolo antissofrimento pós-traição" deste livro, com certeza a dor, caso não tenha ainda sumido completamente feito Doril, estará com certeza muito, mas muito menor. Eu juro!

> Help Vanessa: indo direto ao ponto
>
> *Se ele me traiu é porque não me ama mais?*
>
> Maria Objetiva

Vou explicar bem direitinho: aqui no meu livro, um cara que trai é um cara *que não te ama de verdade*. O que eu preciso deixar claro é que o conceito de amor é muito subjetivo. O que acontece para esses homens que traem, mas que dizem que amam, é na verdade apenas o ápice do sentimento que eles conseguem sentir por alguém. E que na cabeça deles é amor, mas no fundo não é, sacou?

Pense comigo e me responda: quem de verdade ama engana? Quem de verdade ama humilha a outra pessoa? Quem de verdade ama falta com o respeito e a verdade? Quem ama leva vantagem em cima da outra pessoa? Quem ama faz algo que possa prejudicar o outro ou decepcioná-lo?

Se o seu conceito de amor estiver relacionado a carinho, proteção, respeito, entrega, dignidade e apoio, ou seja, o mesmo conceito que o meu, e que é diferente do daqueles que traem, então com certeza você respondeu NÃO a todas as perguntas que te fiz.

Veja bem, já ouvimos diversas vezes por aí que existem pessoas que amam mas não têm o mesmo potencial que nós para amar. Em outras palavras, pessoas que amam pouco a ponto de não se entregar. E eu não estou falando aqui em entregar no sentido de enlouquecer, mas no sentido de fazer concessões em prol do outro. Tudo isso é compreensível que exista, uma vez que as pessoas são diferentes entre si, têm valores e portanto vivenciam experiências individuais. Só que não podemos nos contentar, nos conformar, com o amor-migalha que o outro tem a nos oferecer só porque aquilo é o máximo que ele pode dar. A sua necessidade será satisfeita por aquilo que você recebe e não pelo que o outro pode dar.

Eu tenho um princípio pessoal: pouco amor para mim não me interessa e nem ao menos chamo esse sentimento de amor, porque amor é algo abundante e não escasso. Ou me amas de verdade ou me deixas. E bem livre para encontrar quem possa me dar o que eu acho que mereço ter de outra pessoa.

Help Vanessa: afogando a boa amiga

Van, fui traída, você acredita? Meu mundo veio abaixo e agora não sei nem por onde começar a consertá-lo. Tenho recorrido a tudo que posso, fui na cartomante, estou fazendo ioga para relaxar (embora ache muito estressante), visito toda semana um terapeuta, ouço música calma, faço caminhadas e procuro passar o tempo fazendo atividades para não enlouquecer. Para minha sorte, tenho família e amigas que me apoiam. Mas não posso negar, tenho saudades e pensado muito em voltar com ele. Em uma das conversas que tive com uma boa amiga, ela me disse o seguinte: "Esquece, boba, foi só uma vezinha. Que homem nunca conta uma mentirinha para uma mulher? Que homem nunca trai uma mulher? Se você se separar de um homem toda vez que ele der uma pulada fora de cerca, então não vai casar nunca. Mulher inteligente é aquela que finge que não viu". Ela pode estar certa, não é mesmo?

Maria Boba

Mergulhe a cabeça da sua amiga na privada assim que a vir. Se ela reclamar, diga-lhe que fui eu que mandei e que é para ela tirar satisfações comigo (vou repetir a dose).

Veja bem, existem homens fiéis, sim. E também existem pessoas que não são mentirosas. E se eu estou falando isso, e defendendo em algum momento os homens, então pode ter certeza de que é verdade, senão eu não falaria. Sou uma das mulheres que têm como hobby falar mal de homem e dar risadas deles, acho divertidíssimo, e é claro que eu não perderia uma oportunidade dessas... Só que não posso mentir para você, eu não me sentiria bem. Homens fiéis não são de contos de fadas, conheci-os pessoalmente (vestida, inclusive) e estão por aí, querendo encontrar também uma pessoa legal para ficar com eles. Uma coisa preciso te dizer: realmente eles são minoria, mas não tão escassos quanto se fala. Você não pode ser uma mulher conformada, sua boba. Não pode aceitar o comodismo e nem viver dentro do "fingi que não vi". Uma mulher inteligente não faria isso (a não ser que ela esteja casada com um milionário e o objetivo dela seja dar um tempo até tirar o máximo de dinheiro dele antes de partir com um gatão). Uma mulher inteligente seleciona e exige o padrão de relacionamento que vai ter, sem mentiras e sem traições. Bem como seleciona o tipo de pessoa de quem vai ouvir um conselho. Quando sua boa amiga vier lhe falar novamente para não dar bola para uma mentirinha aqui e uma guampinha ali, tape seus ouvidos e cante bem alto "lálálálálá". Depois que ela terminar, leve-a ao banheiro novamente. Tchau e beijos, boba.

Help Vanessa: cão, o melhor amigo da traída

Querida Van, minha decepção não poderia ter sido pior. Um dia cheguei em casa e peguei meu marido com minha melhor amiga em cima da nossa cama. Fora que meu cachorro também estava com eles no quarto, latindo e assistindo tudo. Agora não consigo mais olhar para ele, para ela e nem para meu próprio cachorro. Isso foi muito decepcionante!

Maria Melhor Amiga da Cachorra

Querida, eu sinto muito pelo seu cachorro, de verdade! Mas não posso dizer o mesmo pelos outros dois. Que aquela cachorra e aquele cachorro (nesse caso o seu ex) saiam latindo da sua vida, porque realmente é ultrajante o que fizeram. Eu sei que você está magoada porque foi duplamente traída, e agora nem tem como chorar no ombro da "melhor amiga". Mas veja a coisa por um lado bom: você matou dois cachor... digo, dois coelhos com uma cajadada só! E agora tem motivos para conhecer novas amizades e um novo amor, porque aqueles que estavam ao seu lado não eram o que de fato você merecia.

Mas, por favor, perdoe seu cão, tenho certeza de que ele estava ali latindo para te defender. E fico aqui pensando sobre todas aquelas outras vezes em que você chegou em casa e ele latia desesperadamente, mas não era atrás de biscoito: ele estava tentando te contar, você que não deu ouvidos a ele e ainda xingou: "Cala a boca, Rex!".

Help Vanessa: a diarista

Vane, meus últimos dias têm sido os piores da minha vida toda. Não me conformo como pode ter isso acontecido logo comigo. Meu marido parecia perfeito, e que tínhamos nascidos um para o outro. Eu fazia tudo que estava ao meu alcance pela nossa felicidade. Até que um dia eu descubro que ele me traiu. Eu sei que homem sempre dá uma traidinha. Que homem nunca traiu? Mas foi terrível, porque descobri que não foi só uma pulada de cerca, mas um relacionamento fora de casa que ele já vinha tendo havia um ano e meio, mais ou menos. A vagabunda me ligou e contou tudo, acho que ele não quis largar de mim para ficar com ela, e para se vingar ela o entregou. Acontece que ele agora fica a chorar e a me dizer que está arrependido e que sempre me amou, mas que só agora sabe disso. Eu sempre fui uma boa esposa e dona de casa, limpava tudo, cuidava da nossa comida, passava as roupas dele, levava inclusive o seu cachorro para passear, fazia o serviço de banco, ia sempre com a mãe dele ao hospital quando ela precisava (ela tem diabetes) e nos finais de semana eu lavava e secava o seu carro. Sempre me preocupei com ele, até a cerveja que ele gosta de tomar quando chega do serviço não faltava nas compras de mercado. Tudo eu fazia pensando nele. E agora ele faz isso comigo; não para de doer, como se eu tivesse levado mil chicotadas, e agora me sinto uma flagelada. O que posso eu fazer?

Maria Auto da Compadecida

Uau! Você não quer vir morar aqui em casa? A vantagem é que tenho um gato que passeia sozinho (e nunca toma banho) e uma mãe saudável (que sempre toma banho). Portanto, você só vai precisar lavar, passar, fazer as compras, ir ao banco, lavar meu carro e cozinhar para mim. E olha que prometo que nunca vou te trair, porque sei dar valor a uma boa empregada.

A questão é que eu acho que ele só não te trocou por

ela porque não chega a ser um imbecil completo, só pela metade. Porque somente um completo idiota largaria a mamata que tinha, ou ainda tem, em casa. Aliás, pelo visto você fez jus ao adjetivo da moça, porque acredito que ela não faria nem um terço do que você faz por ele. Muitos homens têm disso, Mariolete, eles dividem as mulheres em duas classes: pra casa e pra cama. E não é preciso dizer em qual você se encaixa, não é mesmo? É duro saber que foi traída, tanto quanto é duro também ficar ouvindo essa baboseira dos homens, que só descobrem que amam quando traem. Poxa, ele casou com você sem saber que te amava, foi isso? Tipo assim, casou por conveniência, bom negócio, comodidade (se bem que a palavra mais adequada aqui é facilidade)? Esse cara não serve para estar contigo, dê ele de presente para a mocinha que não lava, não passa e não cozinha. Você merece ter mais tempo para você porque está sendo mal remunerada e tem de achar um homem à tua altura, cada dia ao lado dele é um dia a menos ao lado de alguém especial. E por favor, não me venha com essa história de que uma traidinha não é nada de mais, porque tudo começa sempre por aí: apenas uma pulada de cerca sem pretensão nenhuma de se tornar uma bola de neve; aí, depois que faz uma, o cara sai fazendo um monte. É como se eu ouvisse alguém dizendo: "Ah, quem não rouba cem reais? Ruim é quando rouba cem mil, mas cem reais não é nada, qualquer um está sujeito a isso". Faz favor, né, Mariolete!

Help Vanessa: a fila anda. E como...

Van, estou muito chateada. Fiquei casada doze anos, fui traída e me separei do meu marido faz um mês. Agora simplesmente descobri que ele já está namorando outra, e nem é a moça com quem ele me traiu. Como pode estar ele já partindo para outra tão rápido? E por que não consigo fazer a mesma coisa? Penso ainda todos os dias nele, era eu que devia já estar com outro e ele pensando em mim, você não acha?

Maria Aborrecida

Essas coisas acontecem, nem todas as pessoas atingem o mesmo grau de profundidade nos relacionamentos. Para algumas é mais fácil se desligar, para outras é mais custoso, e isso tem a ver com o sentimento que a pessoa conseguiu gerar pela outra pessoa durante o tempo de relação. Quem amou muito tende a ter criado laços mais profundos e por isso demora mais para se desvencilhar.

As pessoas são diferentes, claro, e dentro das inúmeras características psicológicas delas, temos aquelas que eu particularmente consideraria como pessoas superficiais. Acreditem, elas existem. Não posso afirmar que esse seja o caso do seu ex porque há outras possibilidades e variantes a serem analisadas, mas essa é uma hipótese que poderia ser considerada no seu caso. Existem homens (e mulheres também) que são incapazes de formar laços emocionais profundos com alguém. Essas pessoas são dotadas da incapacidade de se envolverem emocionalmente, logo, desvincular-se é barbada. Pessoas superficiais não criam vínculos afetivos, e estão c#@%* e andando para o que os outros sentem. São pessoas que se desvencilham bem rapidamente de relacionamentos, sejam eles de amizade, familiares ou de amor.

Sabe, tem gente também que bota em prática a teoria da "fila anda" com uma facilidade incrível. A pessoa é assim e pronto. E tem suas "vantagens" individuais ser assim, porque essas pessoas não sofrem absolutamente nada ou então sofrem muito pouco. Veja bem, adotar a prática da "fila anda" não constitui um problema. O que, é claro, é diferente de "a fila anda em ritmo supersônico", que é quando a pessoa troca de relacionamento como quem troca de roupa e daí é que a coisa pega, porque esses são o suprassumo da superficialidade. E quer saber? Com gente assim nem é bom se relacionar.

Mas veja bem, não estou afirmando que seja esse o seu caso. O que pode também ter acontecido, girl, é que quando ele te traiu e o relacionamento terminou, já estava, digamos assim, parcialmente desligado de você, ou seja, fazia já algum tempo que ele pensava em se separar. Portanto, estava de certa forma familiarizado com a ideia e então foi mais fácil. Embora você não tivesse percebido, pode ser que ele já não estavivesse mais vivendo o mesmo relacionamento que você havia algum tempo. Esse pode inclusive ter sido um dos motivos por que ele se desligou tão facilmente. Se ele pensa em você? Isso eu não sei te dizer. Mas sei te afirmar com toda a certeza do mundo que ficar pensando se ele ainda pensa em você não vai te levar a lugar algum.

MINHAS PALAVRAS FINAIS, AGORA QUE VOCÊ ESTÁ CURADA, OU A UM PASSO DISSO...

Bem, a traição já levou os seus sonhos com ele, já levou seus dias de paz, suas noites de sono, levou várias lágrimas suas e um pedaço de você. Agora eu acho que já chega, não é? Você já deu coisas importantes demais na sua vida para essa situação medíocre que não tem nada a ver com a vida que você escolheu.

Então, agora é hora de não lhe dar mais nada, não lhe dar mais nem um minuto de seu tempo, o que dirá de sua felicidade e um mísero pedacinho do seu pensamento.

Quero agora que você tenha o controle da situação, e mesmo que passe pela sua cabeça que não tem, eu lhe digo que tem e que você terá isso como uma verdade a partir deste momento. A felicidade ou tristeza nunca é uma responsabilidade de outro. É só nossa! Não podemos dizer que somos infelizes porque fomos traídos. Não podemos dizer que somos infelizes porque não temos o carro que queríamos, não fizemos a faculdade dos nossos sonhos ou moramos em determinada cidade e ainda não encontramos nosso grande amor. Felicidade é sempre um estado próprio independente de outra coisa que não nós mesmos. Aquele pensamento que diz "a culpa é minha e eu ponho onde quero" não funciona para a vida real. Os únicos culpados de não sermos felizes somos nós mesmos, independente do que tenha nos acontecido. Portanto, ser feliz é uma responsabilidade sua e que não depende de estado financeiro, estado civil nem de CEP.

Tem gente que não tem perna e é feliz, tem gente que é solteiro e é feliz, tem gente que não tem carro e é feliz, tem gente que nunca saiu da sua cidade e é feliz, tem gente que não tem grana e é feliz... Ah, tem muita gente que se sente feliz mesmo não tendo tudo aquilo que desejou ou planejou um dia ter. E tem gente também que é feliz e não se dá conta.

E eu quero que você seja feliz; melhor, sinta-se feliz. Melhor ainda, nós duas queremos isso para você, girl. E ser feliz a partir de agora é uma decisão unicamente sua. Eu falei *sua, só sua*.

Se você vai se permitir ser feliz, ou se vai passar anos aí sentada e curtindo a amargura, transformando esse momento triste no eterno filme de drama da sua vida passando, rebobinando e passando novamente, é algo que cabe somente a você. Mas se não é essa a sua decisão, então não deixe para fazer amanhã o que você já poderia ter feito ontem mesmo.

Eu tenho certeza de que você quer sair dessa experiência de forma bastante digna e rápida, certo? Tenho também certeza de que você não quer, daqui a alguns anos, olhar para trás e ver como se comportou mal, se estraçalhou e fez fiasco, fez coisas absurdas e decadentes para si própria em nome dessa traição, coisas que não te levam a lugar algum. Por exemplo, ir para a frente da casa dele e jogar uma pedra pela janela com um bilhete de "volte, éramos tão felizes, eu te perdoo" enquanto ele está na cama com outra. E nada ameniza essa situação, nem ao menos a pedra acertar a cabeça dele.

Não queremos isso nós duas, girl. De verdade *não queremos* que depois de anos você veja o que passou e sinta vergonha pela maneira como reagiu. Queremos que você tenha orgulho, certo? Que use salto 15, agulha, e que saia a caminhar nessa passarela da vida com a cabeça erguida, mesmo depois do tropeço.

Hoje você pode ter acordado de manhã se sentindo com cara de "Chevette mil novecentos e bolinha", mas agora quero que você se sinta uma BMW novinha. E quero que perceba que por causa da superação você é uma versão melhorada de si mesma. E é aqui que está a razão de estarmos vivos: sermos cada vez melhores. Aprender e transcender o tempo todo é o desafio e o motivo que nos levam a estar aqui. E você é uma boa aluna, vai passar nessa prova, assim como já passou por tantas outras e sempre teve aprendizados que te fizeram ser hoje alguém melhor. Uma pessoa mais experiente não é uma pessoa mais velha nem uma pessoa mais amargurada. Uma pessoa que passou por muitas experiências na vida, mesmo a maioria sendo ruim, tem todo o potencial para ser uma pessoa muito melhor e mais feliz. Maturidade tem a ver com o que você aprendeu nessas experiências, e não com o número de rugas que você juntou se descabelando por causa delas.

 Girl, o caminho do céu passa antes pelo inferno... Daí você deve estar se perguntando: e se eu não conseguir? *Você consegue!*

 Aliás, você percebe agora que o drama que você viveu é um saco? Não é mesmo um saco essa tristeza? Você já não está cansada de tudo isso? Então chega de sofrer! É maravilhoso sentir-se bem em relação à vida, e você é uma mulher fantástica para ficar amargurada e traumatizada com esse acontecimento.

 Agora, girl, você é uma nova mulher. Decidimos isso juntas. Bate de novo aqui com o quadril, girl. Agora você é uma mulher diferente da que era antes de ler este livro, que estava amargurada e sem muitas esperanças de superar tão cedo a traição, achando que era algo muito difícil de conseguir e que teria de conviver com a dor por muito tempo. Esta nova mulher que está agora aqui, comigo, é uma mulher mais experiente, que está pronta para se relacionar, que se ama e se coloca em primeiro lugar na sua própria vida. Porque se colocar em primeiro lugar é fator fundamental para ser feliz. E esta mulher, que é você e quer ser feliz, está no caminho certo, superando os obstáculos e prestes a se sentir a heroína de si mesma.

 Você ser feliz não dependerá mais de nenhum fator externo, só interno. Perceba que você já nasceu completa, que sua companhia é ótima para si mesma e que você pode se dar ao luxo de ter a melhor amiga e companheira do mundo ao seu lado: você mesma. E perceba também que o objetivo de superar tudo isso não é principalmente poder encontrar alguém com quem compartilhar a vida. Você está superando tudo por você mesma. Encontrar alguém depois disso é uma consequência. Cresça e fique melhor para você, não para outra pessoa, e você verá uma coisa mágica acontecendo na sua vida: pessoas legais se aproximando de você porque energeticamente você estará em outro patamar. A lei da afinidade é verídica, pessoas afins se encontram e tendem a andar juntas. Transcenda tudo isso e encontre no outro lado pessoas condizentes com a melhor maneira que você pode ser.

Portanto, tudo o que você precisa fazer agora é viver feliz, fazer as coisas que gosta, amar-se, viver intensamente todos os seus dias e ir à busca daquele seu projeto profissional ou então daquele curso superlegal que você quer fazer. Você é dona de si e não vai ficar aí com cara de quem está apenas esperando o príncipe certo e fiel aparecer. Ele irá aparecer como uma consequência do novo estilo de vida que você leva a partir de hoje.

Você é o que você vivencia, é a soma de suas experiências e o que aprendeu com elas. O que define a grande pessoa que você é não é o número de tropeços e de acertos durante a sua vida, mas o que aprendeu com eles e como lidou com o inusitado. Você não é definida pelas vezes em que abdicou de si em prol dos outros, pela aliança que carregou e muito menos pela pessoa com quem foi casada. Isso não é você, apenas fez parte durante um tempo da sua vida. Você é a lição que tirou do fato de ter se doado a outros, de ter se casado e vivido situações. Logo, ter sido traída nunca poderá definir você como uma perdedora. Se você passar por essa experiência com dignidade, sem rancores e com equilíbrio emocional, então eu te digo que você é uma ganhadora.

E para uma mulher tão poderosa, que sai de uma situação

delicada dessas da melhor forma possível, existe um prêmio muito especial: *a recompensa da vida e do amor.*
É, existe alguém especial procurando por você neste momento, Madame Superação. Ele está todos os dias se perguntando por onde andará aquela mulher fabulosa que ele tanto quer encontrar e com quem ele pretende passar o resto da vida. Você também precisa ir ao seu encontro, porque ele não sabe o endereço da sua casa. E você precisa dar uma chance a ele porque também precisa dar uma chance a si mesma. Logo, tem de seguir em frente e continuar com a sua vida, porque ele está logo ali adiante.

Existe uma diferença muito grande entre o cara com quem você teve um relacionamento e te traiu e o cara certo com quem você ainda vai se relacionar. E quando você o encontrar, dará graças a Deus pelo dia em que foi traída, acredite. Portanto, não desista nunca de encontrar um grande amor, verdadeiro e como você merece. Não perca mais tempo e supere "ontem" mesmo a traição. Porque, como já disse alguém:

> *Não importa em quantos pedaços seu coração foi partido*
> *O mundo não para para que você o conserte...*
> *...O tempo não é algo que possa voltar para trás,*
> *portanto, plante seu jardim e decore sua alma,*
> *em vez de esperar que alguém lhe traga flores...*
> *E você aprende que realmente pode suportar, que realmente é forte*
> *e pode ir muito mais longe depois de pensar que não pode mais.*
> *Que a vida realmente tem valor e você tem valor diante da vida!*
> *Nossas dúvidas são traidoras e nos fazem perder o bem que poderíamos conquistar se não fosse o medo de tentar.*

Para saber mais da autora, acesse
www.vanessadeoliveira.net

Visite nosso site e conheça estes e outros lançamentos
www.matrixeditora.com.br

PARE DE AMAR ERRADO
Rejane Freitas

Muitas mulheres, ao amar demais, deixam de lado suas realizações pessoais, perdem os limites, experimentam fortes desilusões, provocando até mesmo o fim da relação. A obra revela o poder destruidor da dependência do amor masculino, ensina como a mulher pode ficar mais voltada para si mesma, evitando frustrações profundas. Um livro que todo homem também deveria ter a coragem de ler.

ALEGGRIA - LINDA, GOSTOSA, AMADA, PODEROSA E MUITO FELIZ COM O PESO QUE VOCÊ TEM
Nelma Penteado

Não é preciso ser magra para esbanjar sensualidade. Não é preciso usar manequim 38 para conquistar um homem. Não é preciso se render aos padrões estéticos de magreza para ter autoestima. As mulheres gordinhas têm ocupado lugares de destaque nas revistas, na TV e cinema. Prova disto são os editoriais de moda das revistas mais famosas do mundo nesse segmento e o sucesso da estrela da TV Americana Oprah Winfrey. Nelma Penteado fez um livro que mostra como a mulher deve se aceitar e se comportar com o peso que tem.

HOJE É O DIA MAIS FELIZ DA SUA VIDA
Elisa Stecca

Diz o ditado que uma imagem vale por mil palavras. Mas não existe imagem que seja tão forte quanto as palavras precisas, as que encorajam, as que mostram caminhos, aquelas que fazem pensar e mudar. Hoje é o dia mais feliz da sua vida, escrito por uma das mais talentosas designers do Brasil, é um livro feito com palavras motivadoras e imagens de rara beleza, que também têm muito a dizer. Uma obra inspiradora, feita para quem quer um dia a dia de mais felicidade.

GEISY ARRUDA - VESTIDA PARA CAUSAR
Fabiano Rampazzo

Geisy Arruda foi manchete dos principais jornais do Brasil e do mundo, após ser expulsa da faculdade em que frequentava o curso de turismo, por ter ido às aulas usando um vestido provocante e quase ter sido linchada por isso. Neste livro ela conta como tudo aconteceu e revela muito da vida de uma mulher que, assim como milhões de outras, adora se sentir notada e desejada pelos homens.